W9-AXN-350

200 Puzzles!

Sudoku

The Number Puzzle Sweeping The Nation!

#1

Published by Playmore Inc., Publishers,
and Waldman Publishing Corp., New York, New York

Printed in Canada

GETTING STARTED

Each sudoku puzzle is a 9 by 9 grid of horizontal and vertical rows, evenly separated into 9 squares with 9 spaces each. Instead of word clues, each puzzle's solution is determined by the pattern of the numbers already filled in. You solve the puzzle by filling in the missing digits so that, when completed, each row and each square will have all the numbers from 1 to 9; each number will appear in exactly nine spaces within each puzzle.

All three elements of the sudoku puzzle must be considered simultaneously: the horizontal rows, the vertical rows, and the 9 squares. You need to fill in each square with the numbers 1 through 9, but their location depends on where along each vertical and horizontal row these numbers already appear. Remember each number can be filled in only once on each horizontal and each vertical line.

Start by examining the "clues"–those numbers already filled in. They determine where each of the other numbers may and, more importantly, may not be filled in. Often by using a process of elimination, you can rule out where certain numbers can't go and thereby narrow the choices for where they can go. It isn't necessary to start with the number 1 or even with the first square, but rather with the number that appears most frequently in any given sudoku, since you will find it easier to narrow down the remaining spaces in which it will appear in.

As you work through each puzzle, the final numbers will come more easily, and give you the experience needed for the progressively harder puzzles you'll encounter as you work your way through the book.

Enjoy!

SUDOKU #1

easy

3	8	4	2	5	6	7	9	1
2	7	6	9	1	4	3	5	8
9	1	5	3	7	8	6	2	4
5	4	3	1	2	9	8	7	6
6	9	8	4	3	7	2	1	5
1	2	7	8	6	5	4	3	9
8	6	2	7	9	1	5	4	3
7	5	9	6	4	3	1	8	2
4	3	1	5	8	2	9	6	7

SUDOKU #2

easy

1	7	9	5	6	4	2	3	8
3	5	2	1	9	8	6	4	7
4	8	6	7	2	3	5	9	1
6	4	5	2	1	7	3	8	9
7	2	8	3	4	9	1	6	5
9	3	1	6	8	5	7	2	4
2	9	7	8	5	6	4	1	3
8	1	3	4	7	2	9	5	6
5	6	4	9	3	1	8	7	2

easy

SUDOKU #3

2	5	3	8	7	6	4	9	1
9	7	5	1			3	6	
6					4			
5						9		7
	9						8	
7		2						3
		5	3					4
3	2	7			5			9
				8	7		3	5

easy

SUDOKU #4

1					3	6		4
5	3				9			8
			8	6				
	2		7					5
		9				2		
7					6		8	
				3	7			
2			5				1	3
3		8	1					9

SUDOKU #5

6	1	2	4	3	8	7	9	5
9	8	3	5	7	6	4	2	1
	3	5	1	6		9	7	8
1	7	4	3	2	9	5	6	2
7	5	1			3			3
					2	6		4
	6	9		1		8		
8					5	2		
5			6		7			9

This is a 4 (handwritten note at left)

SUDOKU #6

6	7	3	2	5	8		4	
	2	8		4				
9	5	4			7			
7			1	4			2	
								4
4	8			2	3			1
	4		8				5	6
						4		
	1		4	9	2	7		8

easy

SUDOKU #7

		7		1		6		2
3			2	9				
6					4			
	7	1			8			
2			4	5	7			1
			9			8	2	
			7					4
				6	5			3
5		8		4		7		

easy

SUDOKU #8

	4	2			7	1		5
7	3				1		2	
1			8		6			
5		4						6
6						5		2
			1		2			8
	6		9				5	1
9		8	5			2	4	

easy

SUDOKU #9

	2		9					
9	7	8		4		6		5
				6				
7	5							3
2		3				5		8
4							1	7
				1				
5		6		2		3	8	4
					3		7	

easy

SUDOKU #10

	3	9		8				
5	1		4					
6	8				3			4
1	6							5
	9		6		1		4	
3							1	9
2			3				7	1
					7		5	8
				1		4	6	

easy

SUDOKU #11

3	5	6	4	2	8	9	7	1
7	9	2	3	6	1	5	4	8
1	4	8	5	7	9	3	6	2
9	6	5	8	3	4	1	2	7
2	1	4	7	5	6	8	9	3
8	3	7	1	9	2	6	5	4
4	2	3	6	8	5	7	1	9
5	8	9	2	1	7	4	3	6
6	7	1	9	4	3	2	8	5

easy

SUDOKU #12

5	6	8	6	3	9	4		1
1	4	2	7		5	9	3	8
7	3	9	8	1			5	6
3	9			8	6	5	1	
8		6	1	5	4	3	9	
2	1	5		9		8	6	4
9		8	5	6	1			3
4	5	1	4		3	6	8	9
6		3	9	4	8	1		5

easy

SUDOKU #17

3	5	1				7		
					5			
			2	4				5
7		6		9	2			
	8	4				2	7	
			5	8		6		4
6				3	8			
			6					
		3				1	2	6

easy

SUDOKU #18

	9						2	
8	2	5	1					
		4	2					5
5		6		3				
3								8
				8		9		7
2					1	6		
					6	1	4	9
	6						5	

easy

SUDOKU #19

				8		3	5	
		3	5			2		4
		5						
		1		9			3	
	4		2	7	1		8	
	8			3		4		
						9		
9		2			3	8		
	1	7		4				

easy

SUDOKU #20

	6	3						
8		7	4	2				6
2		9	3		1	7		
	7			9				
			2		3			
				7			3	
		2	1		7	9		3
1				5	8	6		2
						1	8	

easy

SUDOKU #21

	5	6	3	4				
9								
			1		9		4	
1	6	8	2			5		
4				5				9
		9			3	4	6	2
	4		9		2			
								3
				8	6	7	2	

easy

SUDOKU #22

	9	2				5		4
6								
5				1	7	9		
			1			4	3	
	5	8	9		4	2	6	
	1	4			2			
		1	2	9				7
								2
7		9				8	5	

easy

SUDOKU #23

2		7	9					
	1	5	4	3				
8	9							5
	8	9	5	1				
				7				
				2	9	8	1	
7							9	3
				8	6	5	7	
					2	4		1

easy

SUDOKU #24

2	8			3	4			9
		9					5	6
7					9		3	
4			7	9				
				5				
				4	6			7
	5		4					3
3	7					1		
9			1	6			7	2

easy SUDOKU #25

1			9		8			
6		7					2	
9	8	3	7					
2	7	6			9	5		
		1	5			8	3	6
					7	1	8	2
	1					6		3
			8		1			4

easy SUDOKU #26

2	1		3			4	8	
4		3	2					
		5		8			3	
8		9						
	4						5	
						9		3
	9			3		1		
					6	2		8
	7	2			1		9	6

easy

SUDOKU #27

4		9	6					1
		2	1					
						4	3	5
2		7	5		6			
				9				
			8		3	7		2
3	4	8						
						5	9	
1					2	6		3

easy

SUDOKU #28

1		7	9		8	2		5
		6	7		2	4		
			3		1			
	4	1				5	7	
	2	8				1	3	
			6		5			
		2	1		7	6		
6		3	2		4	8		1

easy

SUDOKU #29

1	7						8	
		6						1
8		2			5		3	
2	8		6		1			
		5				9		
			4		9		5	8
	6		1			4		5
7						1		
	9						6	2

easy

SUDOKU #30

	1			4	8	2	3	
4				3				
						5		9
8				6				2
5			3		2			7
9				5				3
6		9						
				8				5
	7	8	4	9			6	

easy

SUDOKU #31

5		6	3		4	2		
1	8			2	5			
3			7					4
								8
4		9				1		5
6								
2					9			1
			2	3			9	6
		1	5		7	4		3

easy

SUDOKU #32

8					5	1	2	
1				8				5
		2				9		
2						5	3	
9	8			3			1	7
	7	3						2
		8				3		
3				6				1
	9	4	7					6

easy **SUDOKU #33**

	7	2	9		1		4	
3	4							
					3	6		
2				5	4			6
5								9
4			3	9				2
		8	6					
							1	8
	9		2		5	7	6	

easy **SUDOKU #34**

	5					3		1
1					4			
6				1	3	7		9
2			3					
			2	5	8			
					9			2
7		1	4	6				5
			1					4
8		5					2	

easy

SUDOKU #35

7				9		1		
9	4	3	2					
2	5							
			9	5				
5	9		3	7	2		1	8
				8	6			
							3	9
					5	8	4	1
		4		1				5

easy

SUDOKU #36

		6		7				
9		5	4				7	
			9				4	6
6			2					4
	5	1				8	9	
8					4			1
2	3				7			
	7				2	3		9
				5		2		

easy

SUDOKU #37

	4	5		8	7			
2	3				6			
8	7			9				6
1	2						8	
				2				
	5						3	1
7				3			6	8
			6				4	9
			1	4		7	5	

easy

SUDOKU #38

5	1						6	8
	7	3						
		8		3				4
3				1				5
2			3		4			9
7				2				1
6				4		1		
						4	9	
1	9						5	6

easy

SUDOKU #39

6			1				9	
	1					3		
4			9	3		8		2
			8					
	8	1	4		3	5	2	
					1			
9		5		8	7			1
		8					3	
	6				5			4

easy

SUDOKU #40

	6	4		8				
8			4	2			7	
9		5			6		2	
					4		3	5
5	8		2					
	9		1			6		7
	1			4	9			3
				7		2	1	

easy

SUDOKU #41

3		8			6		7	
6	4		1					
1	7		5				2	
								9
				3				
4								
	9				8		4	5
					2		6	3
	5		9			8		7

easy

SUDOKU #42

9	7	8	3					
		2						4
	1	3		8				
	3		7					
7		1		5		6		2
					6		9	
				6		8	5	
3						4		
					9	7	1	3

easy

SUDOKU #43

1	9			7	3			
7								
		2	9	4		5		
2					9			
	6		2	8	1		7	
			3					9
		5		2	8	7		
								6
			6	9			3	4

easy

SUDOKU #44

3				7			6	
	8	5				7		9
		1	2			8	4	
			5		2		1	
	1		6		4			
	5	9			7	3		
8		4				1	5	
	7			2				6

easy

SUDOKU #45

7	4	6						
						3		
2							4	9
	3			8	4			5
	2		5		9		6	
5			3	6			2	
3	9							4
		1						
						5	1	8

easy

SUDOKU #46

1	7	2	8		3	5		
	5							
	6	9		7				
3						8		
			7	2	6			
		5						9
				6		1	3	
							9	
		8	3		9	6	2	4

easy

SUDOKU #47

1			2	3	5			
3	5							
	7	9			8			2
5		4			2	7		
		1	6			5		9
9			5			2	6	
							8	7
			1	2	7			5

easy

SUDOKU #48

				5				3
		8		7	2	5	1	
		7			4			
	4	1				9		6
			2		7			
8		2				3	7	
			3			6		
	5	6	7	2		8		
9				6				

easy

SUDOKU #49

2		4	7			9		
	1			2		3	7	
8			1					
			2	3	9			4
9			5	8	7			
					1			7
	7	3		4			1	
		5			6	8		2

easy

SUDOKU #50

6			7	4		1		9
		5	3		8			
1								
5						8		
	1	6		8		4	7	
		7						6
								3
			1		3	5		
4		8		2	9			1

easy

SUDOKU #51

	7				5		2	
5			2	6			4	9
				3	9			
7		4				9		
		6				5		2
			4	9				
3	1			2	7			6
	9		8				3	

easy

SUDOKU #52

	2	1	8	3		5		
8			6		5			
6				9			3	
								2
2	3		9	6	1		5	8
1								
	7			8				4
			7		3			5
		9		4	6	1	2	

easy

SUDOKU #53

9		1				8		
3	6	7			8			2
			7				1	
		3		2		7		
2	8			1			6	9
		6		8		2		
	1				4			
6			9			1	8	4
		5				3		7

easy

SUDOKU #54

	5			2	1			4
9							6	
7	4					8		1
3	6		8			2	7	
	9	8			7		1	3
6		5					4	7
	8							9
4			2	3			8	

easy

SUDOKU #55

	7		9	6		5		
				7				
3		4				7	6	
1	6	3						
5				9				3
						4	1	6
	5	8				1		4
				2				
		7		8	4		9	

easy

SUDOKU #56

8	5				2		7	6
	2		3		4			
1							5	
3			5	4				8
			7		8			
7				1	3			5
	6							9
			9		1		4	
4	3		8				1	7

easy

SUDOKU #57

	5	9		2	7	8		
	4		8		9		2	
	7				5			9
8	3	2						
						1	8	3
5			7				9	
	2		9		1		3	
		1	4	8		2	6	

easy

SUDOKU #58

			1	8	5		7	
	2					1		
		5	2			6		
3		9	5			8		
				1				
		4			9	7		1
		1			4	9		
		8					3	
	5		9	6	3			

easy

SUDOKU #59

	5	2	4	3				
4	6							
		3		5	1			2
	1		2	7				8
			1		8			
7				9	4		3	
6			9	2		8		
							6	1
				1	6	9	7	

easy

SUDOKU #60

	9		7			4		1
	7			6	4			
			3		5			
4		1	6				7	8
6	5				1	9		3
			2		9			
			5	4			9	
9		4			8		3	

easy

SUDOKU #61

			8	2			6	3
3						8		7
				7	6			
	9				7			1
4				8				5
5			9				3	
			4	1				
7		1						8
9	8			6	2			

easy

SUDOKU #62

4			2		9	3		
5				8		6		4
		1						7
	1	3			5			
			7	9	8			
			1			2	4	
3						7		
2		6		3				1
		9	8		2			3

easy

SUDOKU #63

	8	9	6					1
	2	7	9	5				
	4			1				
5		4						
			3		2			
						8		4
				2			8	
				8	5	4	7	
2					9	6	1	

easy

SUDOKU #64

9	4						7	1
2			4		8			9
		6				5		
5		7	9		1	2		8
4		2	8		3	9		6
		1				3		
7			5		6			2
3	5						6	7

easy

SUDOKU #65

	5	4	3				8	
				7			6	
7		3	8					
1		7		3				
2				4				8
				2		4		6
					1	6		9
	2			5				
	9				7	3	4	

easy

SUDOKU #66

6				9			3	2
	3			2				
	7	5				1	9	
					6		2	
8			4		2			9
	2		9					
	8	3				5	1	
				7			8	
9	1			6				3

easy

SUDOKU #67

9	8						4	1
6			9		4			7
	3		8		7		6	
1		4	6		9	8		3
8		2	4		1	7		5
	1		2		6		7	
2			1		5			4
7	4						5	2

easy

SUDOKU #68

2			6	9				
6	7				2			
9		5		3				4
3		8				7		6
			9		3			
1		4				3		8
7				2		6		1
			3				2	7
				6	8			5

easy

SUDOKU #69

	5		3	2	1		6	
9								4
2		8				3		7
4			7	5	3			6
				1				
8			6	9	2			3
1		2				6		8
3								1
	8		1	3	6		7	

easy

SUDOKU #70

			9		4	8	1	
	3			1		7		9
	2			8				3
							3	
6			4		9			1
	7							
8				2			9	
2		7		4			5	
	4	5	8		1			

easy

SUDOKU #71

	6		8		3	5	2	
	2							
9		3	1	5			6	
		2						9
				7				
4						8		
	7			6	9	2		3
							9	
	9	8	4		7		1	

easy

SUDOKU #72

6					7	3		5
9	3	8					4	
	7							
1			7				6	
7	5		2		3		9	4
	8				1			7
							5	
	2					6	7	9
4		1	6					8

easy

SUDOKU #73

9	7	5		3				
			9				2	
3		6			8			
1							4	
5		4		2		1		7
	8							5
			6			2		9
	5				1			
				7		5	6	4

easy

SUDOKU #74

8				2				
	3	9						
	7	5	6	9		8		3
5					4			2
			5	3	6			
9			2					5
1		6		4	2	3	9	
						7	2	
				6				1

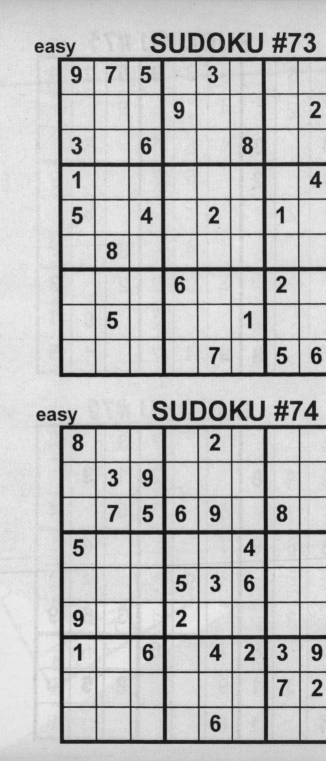

easy

SUDOKU #75

1				3	9	6		4
2			4			9		
3					1			
4				5	7			
	2						8	
			1	6				9
			7					2
		2			3			1
7		3	9	4				5

easy

SUDOKU #76

								2
	4	5			2	1	9	
			5		3	6		4
3	8	9					4	
				9				
	1		[illegible]	[illegible]	[illegible]	[illegible]	[illegible]	[illegible]
4		8	1		[illegible]	[illegible]	[illegible]	[illegible]
	3	1	9			2	[illegible]	[illegible]
6							[illegible]	[illegible]

easy SUDOKU #81

		8	3	4				
5			2		8			
4				6		8		
7		1					9	
			5		1			
	4					7		6
		4		3				2
9			8		2			1
8				1	4	6		

easy SUDOKU #82

9	7		5		4	1		
					9	4		7
						9		6
6								
1	4		6	3	2		8	9
								2
4		6						
8		7	3					
		1	7		5		6	3

easy

SUDOKU #83

9	7	4	5				2	
				6	7		9	
6			9					8
		9						3
	6			9			4	
2						6		
5					9			7
	8		1	3				
	9				6	3	8	2

easy

SUDOKU #84

3		4		5				
6	1				9	7		2
5								
8		2	6					
			1		8			
					3	9		6
								5
4		9	8				1	3
				4		6		8

easy

SUDOKU #85

5	7				6			
8		9	7			5		4
2		4						9
	8							
7			9		8			3
							1	
4						3		6
3		8			5	9		7
			3				5	2

easy

SUDOKU #86

5				9				1
			5		6		9	3
	9				7	2		4
	2			6				
			3		4			
				8			6	
9		3	7				1	
4	7		9		2			
2				4				9

easy

SUDOKU #87

9	8		1			2		
2							9	6
			2					1
		2		1		4		
		3	5	7	8	6		
		8		3		9		
7					5			
8	1							5
		5			1		6	8

easy

SUDOKU #88

6		3	1			8		
5								3
				8	2		7	
		1		9			6	
		9				1		
	6			7		2		
	3		2	5				
1								7
		8			9	3		6

easy

SUDOKU #89

	6				4			3
		3						9
5	2			7	3		6	
	5		9				2	7
3	7				6		8	
	3		2	5			9	8
6						5		
9			8				4	

easy

SUDOKU #90

	1	8			6	3		
9			7					
	5		2			1		9
4		1		5				3
6				9		8		1
1		4			8		9	
					9			8
		7	4			5	1	

easy

SUDOKU #91

	8				3		1	4
3	4			2			7	
5			4	1				
	5			7				
6	9						5	2
				4			6	
				9	6			7
	3			8			9	5
8	6		1				2	

easy

SUDOKU #92

3	5		1			9		
4		6	3	9				
				5		8		
			7					8
8	3			6			4	2
9					4			
		1		2				
				8	1	4		5
		4			3		6	1

easy

SUDOKU #93

	2	6	7		4			1
1		8	9				7	2
				4		9		
4	5						3	6
		2		5				
5	3				7	6		8
8			4		6	5	9	

easy

SUDOKU #94

				8	9		1	
	4							
		8	1		3		5	4
3		1		4	2			6
		4				7		
9			3	6		5		1
4	9		2		8	1		
							8	
	5		9	1				

easy

SUDOKU #95

7		2			6			3
	8		5	4	1			2
6			3					
4	9							
	2						6	
							3	1
					5			6
1			4	7	9		8	
8			1			3		9

easy

SUDOKU #96

1	4		6			8		
5		3	2			1		
						3	7	
	6	4	7	5				
				9	2	5	6	
	9	8						
		7			3	6		8
		5			4		3	2

easy

SUDOKU #97

8			7	3			4	6
6	2	9	5					1
7								
	6	1	8					
				2				
					5	1	7	
								5
2					8	3	6	9
3	4			5	6			7

easy

SUDOKU #98

9				7	5		3	
	3	2			4			1
4	6							
		8	7		3			
				1				
			9		8	7		
							1	7
3			5			9	6	
	2		6	4				3

easy

SUDOKU #99

		6			4		7	
7		4				6		8
8	2				6		4	5
		2		7	8			
			3		5			
			2	6		7		
6	8		5				1	3
2		1				9		7
	7		4			8		

easy

SUDOKU #100

8		4	9		3			7
2			8	7				
			1					5
	9						4	8
3								1
7	4						3	
4					1			
				8	9			6
5			3		2	8		4

easy

SUDOKU #101

	3	6	7	2				
	8	7			6			
	1							
7				8	1	3	4	
	9						1	
	5	3	6	9				8
							6	
			4			2	5	
				3	2	9	8	

easy

SUDOKU #102

1							2	
		6	1		9			
2	4			5				
8	5		4					2
3	1						8	5
7					8		9	4
				8			5	3
			9		2	4		
	2							1

easy

SUDOKU #103

	4				7	5		
		5					3	
3			2			4	7	8
5	9					8	4	
		6		4		2		
	8	3					9	7
9	6	7			1			5
	5					9		
		4	5				8	

easy

SUDOKU #104

6				4	1		3	
			6			4	7	
	9					8		
7	8	5			6			9
3			5			1	8	7
		2					9	
	1	6			8			
	3		4	7				2

easy

SUDOKU #105

1	7		2			6		
	9		8		5			
2	8				4			
7	5	6		9				
				6		4	7	5
			9				8	4
			7		1		3	
		9			8		1	6

easy

SUDOKU #106

	8		2		9	4		5
4				5	6		1	
								9
		8						
		6	4	7	5	2		
						1		
7								
	9		7	1				4
2		3	9		8		7	

easy

SUDOKU #107

6	1	9		4	8	5		
7	5			3				
		4						
9	8							
		5				4		
							1	6
						7		
				9			5	2
		6	2	7		1	4	9

easy

SUDOKU #108

	6		3		1		2	
	2						5	
5		9				3		1
		3	6		4	2		
		7	9		5	4		
2		8				7		4
	1						8	
	3		8		2		6	

easy

SUDOKU #109

3	5		4		6			8
8				1		2		
4					9		3	
			9			3		
1				8				5
		9			5			
	7		2					3
		1		7				2
2			3		4		7	9

easy

SUDOKU #110

8	9							5
	2		7	3		1		
1			8			7		
7			6					
			5		2			
					1			7
		1			3			2
		5		8	4		3	
2							6	8

easy

SUDOKU #111

4		8	2		3	7		9
	1		8		6		4	
9	6						2	4
8	2						7	5
	8		7		1		3	
6		1	3		9	5		7

easy

SUDOKU #112

9	7	8		2				
4	3				7			9
2				4	3		6	
7		9						
				5				
						8		4
	8		5	9				7
5			1				8	6
				6		5	4	3

easy

SUDOKU #113

			5		9	3		
6		7	8					9
2						8		7
		3				7		2
	8			5			3	
4		6				5		
3		1						5
5					6	4		3
		4	7		5			

easy

SUDOKU #114

	2	6			5			1
	3	8	4					
4	5							
		2		4				
7	8			2			3	9
				7		6		
							4	6
					6	3	5	
3			2			7	1	

easy

SUDOKU #115

3	4	7			6			2
			8	4				
					2			
		9		5			6	7
	6			1			2	
2	8			6		1		
			5					
				2	4			
1			3			5	4	6

easy

SUDOKU #116

9		1	4			6		
			7			9		4
							8	2
4	7				9			5
		5				7		
2			6				9	8
7	2							
8		6			7			
		4			2	3		9

easy

SUDOKU #117

9	6	3		5				1
	8		9				4	
					6		9	3
	7		5		1			
	5						7	
			8		7		3	
7	4		3					
	2				5		6	
6				8		9	5	4

easy

SUDOKU #118

8	5	6			3			
1		2		4				5
	9							
5					9			4
		3	4	7	5	2		
4			6					1
							3	
9				5		1		6
			9			8	4	2

easy

SUDOKU #119

7		3			9	6		
							7	3
1	4	9				8		
6	3			9		5		
8			5		3			1
		1		7			2	6
		2				7	3	9
9	7							
		6	9			2		8

easy

SUDOKU #120

9		8			3		5	2
		1		5			4	
2	5				1		3	
6	1		8					
					5		6	4
	6		5				2	9
	8			9		4		
4	7		6			3		5

mild

SUDOKU #121

2			4			8	7	
	8		1	6				4
			5					6
						6	4	
	7	3				9	1	
	4	8						
3					5			
9				3	4		6	
	5	4			9			1

mild

SUDOKU #122

				1		6		
	3		4					1
1	9				6	7		
			9			5	3	
	8	6				9	7	
	2	3			7			
		9	3				5	8
3					5		6	
		8		7				

mild

SUDOKU #123

				3		2		1
7								3
		4		1	8		7	
3	5					6	8	
	7	6					5	4
	2		7	6		4		
5								9
1		8		2				

mild

SUDOKU #124

		7	3	6				9
			7				2	
8							4	7
							6	1
		5				3		
1	8							
4	7							2
	6				2			
2				8	9	1		

mild

SUDOKU #125

		3					4	1
5	1			9	6			
	4			3				8
4			7					
			2	6	8			
					9			3
8				2			6	
			6	8			3	4
2	5					9		

mild

SUDOKU #126

		6	3	7	2			
		9	1					5
4								
	9	7	5				8	6
1	4				6	3	2	
								4
3					9	5		
			4	3	1	8		

mild

SUDOKU #127

5	9				4		1	3
			6		1		7	
4						9		
	6	9		4				
1								6
				8		1	3	
		3						7
	4		5		7			
9	5		4				8	1

mild

SUDOKU #128

7	9		1					
	8	1	9					
	4			5		9	7	
9	2		8			7		4
4		8			2		1	3
	1	2		3			9	
					1	4	3	
					9		6	5

mild

SUDOKU #129

					9	1		
9	8	5	3		6		4	
1		2						
4			9		1			
			7		8			1
						2		7
	2		8		5	4	6	3
		9	6					

mild

SUDOKU #130

8	4			7				
	9	2			6			
1					2		3	
			1	2			7	4
	2		7		3		5	
7	5			8	9			
	3		2					1
			9			3	4	
				1			6	8

mild

SUDOKU #131

	2	3			6	9		8
9	1			3				
4			1				6	
8				6				
			2		7			
				1				7
	4				8			1
				9			5	2
5		9	6			8	7	

mild

SUDOKU #132

	7	8	5	4		2	3	
							7	
2								
8	3		6		9			
	5						8	
			1		8		4	2
								9
	2							
	4	9		3	2	8	1	

mild

SUDOKU #133

		2			9			
			5	2			7	
7	3	1						
9			6	3			1	
8								7
	7			8	5			9
						4	6	2
	5			6	2			
			1			8		

mild

SUDOKU #134

	6			4		9		5
				5		7	3	
3			6					
5			9		3			
	3			6			1	
			7		5			8
					1			4
	2	4		8				
7		5		3			8	

mild

SUDOKU #135

6	4	2						8
5			4		8			
					7	5		
7				6				
3	9						2	4
				1				5
		5	2					
			5		9			1
8						3	5	2

mild

SUDOKU #136

7		3			9			
2	1				8			6
	6						5	2
		1	9					
	9			6			1	
					4	9		
6	4						2	
9			2				6	3
			7			4		9

mild

SUDOKU #137

			1		4	8	2	
				6	7		4	
3				5				1
2	7	3				5		
		1				7	9	8
5				8				9
	1		5	2				
	2	4	9		1			

mild

SUDOKU #138

	4		8					3
7	3				9		5	
2				6				
1					6			
3		4				5		9
			4					8
				7				4
	7		9				6	5
6					8		7	

mild

SUDOKU #139

		7	4			5		3
6	4	9					7	
8					2			
5	8							9
				6				
9							4	6
			1					2
	5					7	8	4
4		2			8	9		

mild

SUDOKU #140

		2		3	6			
1				4			7	
7	4							9
		1		9	3		4	
3								6
	8		5	6		9		
8							2	4
	7			5				8
			2	1		5		

mild

SUDOKU #141

	5	1					3	
7						5		
2	3				8			4
		5	9	1				
		3	2		4	6		
				6	3	1		
4			8				2	3
		7						1
	2					4	5	

mild

SUDOKU #142

6		5		2				
			6	8		2		
	4		7				6	
2					1	8		
7								3
		6	2					1
	3				6		8	
		1		3	9			
				7		3		5

mild

SUDOKU #143

4			2		1	9		
7			3					
		5		9			8	
		2						
	6	1	4		7	8	5	
						7		
	3			4		5		
					8			4
		8	6		2			9

mild

SUDOKU #144

8			1	9	3			
2						5		8
		7			5			
	3		2					7
	2		7		1		3	
6					8		2	
			5			8		
4		1						2
			6	1	9			4

mild

SUDOKU #145

7	1	2		3		9	8	
		3						
	9		1		2			3
						8	5	9
8				4				2
2	6	5						
4			9		3		1	
						3		
	3	8		5		4	9	7

mild

SUDOKU #146

	2			4	3	7		6
					1			
9		4	7	2				
			8			9		2
5	7						3	4
2		9			4			
				6	8	2		5
			4					
6		2	3	7			8	

mild

SUDOKU #147

7				8	5	9		
	6				4			
		5		7			6	
9						5	4	7
				3				
8	4	2						1
	9			5		3		
			7				2	
		3	8	6				5

mild

SUDOKU #148

8	2		7	6		5		
7								
					8			
4					7		6	
		6	2		4	1		
	9		1					7
			5					
								2
		4		7	2		8	6

mild

SUDOKU #149

	9		1		6	3		
8		1	9				7	
5						8		
1			6			4		
		9		4		2		
		8			2			1
		2						3
	5				8	7		4
		4	7		9		2	

mild

SUDOKU #150

	2	3						
6						2		
			6	7			5	4
3		5		8				
	4			3			6	
				4		8		9
1	6			9	3			
		4						7
						6	8	

mild

SUDOKU #151

3	1		6					9
						4		
	6			7	5			
		3		1				4
4	8		7		3		2	5
9				2		8		
			3	5			9	
		7						
1					9		7	8

mild

SUDOKU #152

	8	3		4	9		2	
4								6
6	9		7			4		
					3			8
		1	9		2	5		
9			8					
		8			4		7	2
1								4
	4		2	8		3	1	

mild

SUDOKU #153

5	8	2		6	4			
		3	1					
				2		7		6
			6			9		3
8								2
2		5			9			
3		8		7				
					1	3		
			2	3		6	7	1

mild

SUDOKU #154

		8	7	3	1			
		6		8				
2						3		8
3	6					2		
7				2				4
		4					5	6
4		7						3
				4		8		
			6	5	7	1		

mild

SUDOKU #155

2		5	7					
1	9				4		5	6
	4	6			5			
8		2					4	
		4				2		
	3					6		1
			1			9	6	
5	2		4				1	7
					8	4		5

mild

SUDOKU #156

	9			3				2
4					5			7
	1	5	7					
2		8		7				
			3	4	9			
				8		1		5
					3	6	7	
8			6					4
6				5			3	

mild

SUDOKU #157

	1	9			8	5		7
7					6	8		
	6							
2	3			9				
		8				9		
				8			1	2
							4	
		1	2					8
9		5	1			7	2	

mild

SUDOKU #158

1	9					4		
					3	7		
2					6		9	8
	3				9			
	7			2			4	
			1				3	
3	8		9					2
		5	2					
		2					1	9

mild

SUDOKU #159

			8	1		6		
	8	6	2	3	5	9		
	4							
5					7			3
2				9				7
8			3					9
							4	
		1	7	4	6	5	2	
		5		8	2			

mild

SUDOKU #160

4	5	1						8
8			7					
		9	6	5				1
		8			6			
		4		3		9		
			5			2		
6				1	3	5		
					5			7
9						6	4	3

mild

SUDOKU #161

2	6			5	4			
3		7	8					
8				2			7	
							8	
9	8						4	5
	1							
	9			8				4
					7	5		6
			4	9			3	1

mild

SUDOKU #162

	2	6	3	9	8			
	8							
4						9		2
8			2		9	5	4	
	7						1	
	9	5	6		4			8
7		2						5
							2	
			1	5	2	8	6	

mild

SUDOKU #163

1	4			2		5		
	5		3			6		
		7	8	1				
	2		6					5
6					1		4	
				4	8	7		
		5			9		8	
		9		6			2	4

mild

SUDOKU #164

		5		1		4		7
		7						
8			3		4			1
7	8				2			
		4		9		8		
			6				7	2
6			4		9			5
						2		
4		9		8		6		

mild

SUDOKU #165

6		1	8			4		
9		3				1		8
				1				
	9			5	2			
		8	1		7	6		
			9	8			3	
				4				
1		7				9		4
		2			9	7		5

mild

SUDOKU #166

	3	2				4		
1				7				
			3			8	6	
5	2					3		8
			4		8			
8		9					5	6
	9	1			5			
				6				3
		8				9	7	

mild **SUDOKU #167**

	2			8				6
				4			1	
4		5			2			9
	5	7					6	
		3	2		7	9		
	4					2	3	
9			5			8		4
	8			3				
5				7			2	

mild **SUDOKU #168**

		6	1	8		4		
				7	6		3	
4		9	5					1
	5				3			2
9			7				6	
7					5	8		3
	2		3	6				
		1		4	7	2		

ambitious **SUDOKU #169**

	9	7	5					
2	8			9		7		
			7		4			
7					6		9	
1		3				4		7
	4		8					6
			2		8			
		5		1			4	8
					7	9	1	

ambitious **SUDOKU #170**

5	7	2				6		
								3
				4		1		
3	6		5	7			1	9
			3		9			
4	9			2	6		8	7
		4		9				
6								
		3				5	2	4

ambitious **SUDOKU #171**

		4	6			1		
				5	2			6
5								4
9		5		2	4		6	
			8		5			
	7		1	6		5		8
1								2
3			5	1				
		9			6	4		

ambitious **SUDOKU #172**

2			9	3	4			
7					8	9		
3				5				
		1					5	3
		7		8		4		
4	3					7		
				2				7
		3	7					8
			8	1	6			9

ambitious **SUDOKU #173**

4							2	
1					4	8		
	9	6		2		4		
				6	9			
	6	9				5	8	
			7	3				
		7		1		9	4	
		2	9					3
	8							6

ambitious **SUDOKU #174**

8		6						3
5	4	2	7					
		3			8		4	
		7	8					1
				4				
4					7	8		
	6		5			7		
					3	1	8	4
7						9		6

ambitious **SUDOKU #175**

			8	6		1		
	7	6						2
3	5				1			
				2	9		1	
		2				9		
	9		1	3				
			7				5	1
9						6	8	
		7		1	6			

ambitious **SUDOKU #176**

1		9			7	8		
			9					5
4					8	2		1
					3			
3	6			5			8	2
			6					
8		5	3					6
9					4			
		7	8			1		4

ambitious SUDOKU #177

		9	4		6			
			8					1
7	6			3		4		
		5	9					6
	9			1			8	
4					8	9		
		8		5			6	9
5					9			
			6		7	1		

ambitious SUDOKU #178

6		1		2			7	5
			1			4		6
				3			9	
			7					4
7	9						5	3
3					8			
	6			9				
1		9			2			
5	8			7		2		9

ambitious **SUDOKU #179**

		8	6		1			
6			3		5			2
	5							3
		7			9		1	4
1	8		5			3		
2							7	
7			9		3			6
			7		6	5		

ambitious **SUDOKU #180**

2		9	6	1		3		
3			7			6		
			3	5			1	
							6	3
			5		6			
1	7							
	1			3	5			
		5			7			4
		7		9	1	8		6

tough **SUDOKU #187**

	3			1			7	
2		1	7					
7	6				3		5	
			3		4			
4		6		7		1		9
			1		9			
	2		5				4	7
					7	2		8
	4			8			6	

gh **SUDOKU #188**

				9			2	
		2	1		8	7		4
	7							9
					4			
				5				6
			3					8
							4	
		1	9		7	5		
	5			4				

ambitious **SUDOKU #181**

		4	5	2		3		8
5					6			
9								
8	1	5			7			6
		7				4		
3			8			5	7	9
								3
			4					7
4		2		3	8	9		

ambitious **SUDOKU #182**

1			5					
9			2		7			8
7	6							4
2	8	7		1				
				5		8	2	1
6							7	3
4			9		1			2
					3			6

ambitious **SUDOKU #183**

2		8	3					
				5	4		1	
		1				5		9
		7		3				5
8			6		5			7
5				4		2		
6		9				8		
	4		1	8				
					9	4		3

ambitious **SUDOKU #184**

1		7		3			2	
9	4		1	7				
			9					7
7	2		3					
				6				
					9		1	2
6					3			
				2	5		6	3
	3			4		5		9

tough **SUDOKU #185**

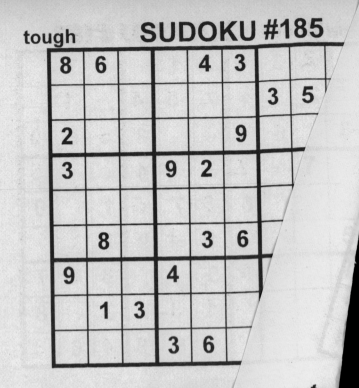

8	6			4	3			
						3	5	
2					9			
3			9	2				
	8			3	6			
9			4					
	1	3						
			3	6				

tough **SUDOKU**

	4		1					
	1							
	3							
5		2						
4	5							

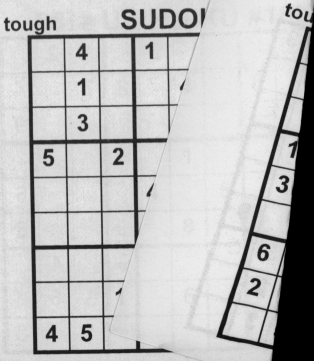

tough SUDOKU #189

7		8	1	9	5			
6		9		3				
	5					7		
			4	6		8		
9								5
		2		8	9			
		5					4	
				5		9		3
			9	4	2	6		7

tough SUDOKU #190

	3	4	9	8	6			
	6		7		3			
2				5				8
6						3		
	4						1	
		1						5
9				7				6
			6		8		9	
			5	9	4	8	7	

tough

SUDOKU #191

2						6	7	
			9		3			
		5			1			3
	8		7			9		2
		1		8		4		
7		2			6		3	
1			4			7		
			2		7			
	5	7						6

tough

SUDOKU #192

	2		4	1	8	6		
			5		3			
3		5						
2								8
6		8	3		5	1		9
9								7
						3		1
			7		6			
		3	2	4	1		8	

very tough **SUDOKU #193**

1		4		8				
	5				6			
6		2	3			4		
9	1							
3			6		8			9
							3	4
		5			4	9		2
			9				4	
				6		8		3

very tough **SUDOKU #194**

5							2	
			6					1
	2	8	1				7	3
3		4			9	2		
				6				
		5	3			4		7
8	4				6	9	1	
1					3			
	9							5

very tough **SUDOKU #195**

9		1			6			2
					5	1		4
	8			2				
2	4	9		5				
				3		2	9	1
				9			1	
6		3	5					
4			3			7		8

very tough **SUDOKU #196**

	9	6						
				7				8
3			6		5	7	9	
	7					8		
8				3				1
		4					2	
	2	3	9		8			4
6				5				
						1	3	

very tough **SUDOKU #197**

		1	9			7	6	
					3			
5	6				7			
	4	7	8					
1				2				8
					6	2	9	
			7				3	4
			6					
	8	3			4	5		

very tough **SUDOKU #198**

	3					1		
6		9			7			
					6			5
9	6			4		8	1	
	8			9			5	
	7	5		2			9	4
7			1					
			5			3		9
		4					8	

very tough **SUDOKU #199**

2	8		4			6		1
	6			3				8
		1			8			4
			1		4			
				8				
			3		5			
7			2			4		
4				1			2	
6		8			9		3	5

very tough **SUDOKU #200**

3	7	6	4					
9					6			
8	1			3	9			
1		5		4				9
	8						4	
6				8		3		7
			9	7			3	1
			2					8
					8	7	2	4

ANSWER KEY

SUDOKU #1

3	8	4	2	5	6	7	9	1
2	7	6	9	1	4	3	5	8
9	1	5	3	7	8	6	2	4
5	4	3	1	2	9	8	7	6
6	9	8	4	3	7	2	1	5
1	2	7	8	6	5	4	3	9
8	6	2	7	9	1	5	4	3
7	5	9	6	4	3	1	8	2
4	3	1	5	8	2	9	6	7

SUDOKU #2

1	7	9	5	6	4	2	3	8
3	5	2	1	9	8	6	4	7
4	8	6	7	2	3	5	9	1
6	4	5	2	1	7	3	8	9
7	2	8	3	4	9	1	6	5
9	3	1	6	8	5	7	2	4
2	9	7	8	5	6	4	1	3
8	1	3	4	7	2	9	5	6
5	6	4	9	3	1	8	7	2

SUDOKU #3

2	5	3	8	7	6	4	9	1
9	7	4	1	5	2	3	6	8
6	1	8	9	3	4	7	5	2
5	3	6	4	1	8	9	2	7
4	9	1	7	2	3	5	8	6
7	8	2	5	6	9	1	4	3
8	6	5	3	9	1	2	7	4
3	2	7	6	4	5	8	1	9
1	4	9	2	8	7	6	3	5

SUDOKU #4

1	8	7	2	5	3	6	9	4
5	3	6	4	7	9	1	2	8
4	9	2	8	6	1	3	5	7
6	2	1	7	8	4	9	3	5
8	4	9	3	1	5	2	7	6
7	5	3	9	2	6	4	8	1
9	1	5	6	3	7	8	4	2
2	6	4	5	9	8	7	1	3
3	7	8	1	4	2	5	6	9

SUDOKU #5

6	9	7	4	1	8	3	2	5
2	8	3	5	7	9	4	6	1
4	1	5	2	6	3	9	7	8
1	5	4	3	9	6	7	8	2
7	2	6	8	4	1	5	9	3
9	3	8	7	5	2	6	1	4
3	6	9	1	2	4	8	5	7
8	7	1	9	3	5	2	4	6
5	4	2	6	8	7	1	3	9

SUDOKU #6

6	7	3	2	5	8	1	4	9
1	2	8	9	3	4	5	6	7
9	5	4	6	1	7	2	8	3
7	3	9	1	4	6	8	2	5
2	6	1	5	8	9	3	7	4
4	8	5	7	2	3	6	9	1
3	4	2	8	7	1	9	5	6
8	9	7	3	6	5	4	1	2
5	1	6	4	9	2	7	3	8

SUDOKU #7

8	9	7	5	1	3	6	4	2
3	5	4	2	9	6	1	7	8
6	1	2	8	7	4	3	5	9
9	7	1	6	2	8	4	3	5
2	8	3	4	5	7	9	6	1
4	6	5	9	3	1	8	2	7
1	3	6	7	8	2	5	9	4
7	4	9	1	6	5	2	8	3
5	2	8	3	4	9	7	1	6

SUDOKU #8

8	4	2	3	9	7	1	6	5
7	3	6	4	5	1	8	2	9
1	9	5	8	2	6	4	7	3
5	7	4	2	3	8	9	1	6
3	2	9	6	1	5	7	8	4
6	8	1	7	4	9	5	3	2
4	5	3	1	7	2	6	9	8
2	6	7	9	8	4	3	5	1
9	1	8	5	6	3	2	4	7

SUDOKU #9

6	2	4	9	8	5	7	3	1
9	7	8	3	4	1	6	2	5
1	3	5	2	6	7	8	4	9
7	5	1	8	9	2	4	6	3
2	6	3	1	7	4	5	9	8
4	8	9	5	3	6	2	1	7
3	4	7	6	1	8	9	5	2
5	1	6	7	2	9	3	8	4
8	9	2	4	5	3	1	7	6

SUDOKU #10

4	3	9	7	8	5	1	2	6
5	1	2	4	9	6	8	3	7
6	8	7	1	2	3	5	9	4
1	6	4	9	3	2	7	8	5
7	9	8	6	5	1	2	4	3
3	2	5	8	7	4	6	1	9
2	5	6	3	4	8	9	7	1
9	4	1	2	6	7	3	5	8
8	7	3	5	1	9	4	6	2

SUDOKU #11

3	5	6	4	2	8	9	7	1
7	9	2	3	6	1	5	4	8
1	4	8	5	7	9	3	6	2
9	6	5	8	3	4	1	2	7
2	1	4	7	5	6	8	9	3
8	3	7	1	9	2	6	5	4
4	2	3	6	8	5	7	1	9
5	8	9	2	1	7	4	3	6
6	7	1	9	4	3	2	8	5

SUDOKU #12

5	2	8	9	3	6	4	7	1
1	4	6	7	2	5	9	3	8
7	3	9	4	1	8	2	5	6
3	9	4	6	8	2	5	1	7
8	6	7	1	5	4	3	9	2
2	1	5	3	9	7	8	6	4
9	8	2	5	6	1	7	4	3
4	5	1	2	7	3	6	8	9
6	7	3	8	4	9	1	2	5

SUDOKU #13

3	4	6	8	7	1	2	5	9
2	8	1	9	5	6	7	4	3
7	9	5	3	4	2	1	6	8
6	5	3	4	1	9	8	7	2
4	2	9	5	8	7	3	1	6
1	7	8	2	6	3	5	9	4
9	6	2	7	3	5	4	8	1
8	3	7	1	9	4	6	2	5
5	1	4	6	2	8	9	3	7

SUDOKU #14

7	1	8	2	4	3	6	9	5
5	3	6	7	9	8	2	4	1
2	4	9	5	1	6	3	8	7
3	2	7	6	8	5	4	1	9
6	8	1	4	3	9	7	5	2
4	9	5	1	7	2	8	3	6
8	6	2	9	5	4	1	7	3
9	7	4	3	2	1	5	6	8
1	5	3	8	6	7	9	2	4

SUDOKU #15

6	4	2	5	3	1	8	7	9
3	8	7	2	6	9	5	4	1
9	5	1	7	4	8	3	6	2
2	3	4	1	5	6	9	8	7
5	1	8	9	7	2	4	3	6
7	6	9	3	8	4	2	1	5
8	9	6	4	1	5	7	2	3
4	2	3	6	9	7	1	5	8
1	7	5	8	2	3	6	9	4

SUDOKU #16

4	8	9	6	7	3	5	1	2
2	5	1	8	9	4	3	6	7
7	3	6	5	1	2	8	4	9
1	7	2	4	5	9	6	8	3
6	9	3	7	8	1	4	2	5
5	4	8	3	2	6	7	9	1
3	2	4	9	6	7	1	5	8
8	1	7	2	4	5	9	3	6
9	6	5	1	3	8	2	7	4

SUDOKU #17

3	5	1	8	6	9	7	4	2
2	4	8	1	7	5	9	6	3
9	6	7	2	4	3	8	1	5
7	3	6	4	9	2	5	8	1
5	8	4	3	1	6	2	7	9
1	2	9	5	8	7	6	3	4
6	1	2	9	3	8	4	5	7
4	7	5	6	2	1	3	9	8
8	9	3	7	5	4	1	2	6

SUDOKU #18

6	9	7	3	5	8	4	2	1
8	2	5	1	7	4	3	9	6
1	3	4	2	6	9	7	8	5
5	8	6	9	3	7	2	1	4
3	7	9	4	1	2	5	6	8
4	1	2	6	8	5	9	3	7
2	4	8	5	9	1	6	7	3
7	5	3	8	2	6	1	4	9
9	6	1	7	4	3	8	5	2

SUDOKU #19

1	2	4	9	8	6	3	5	7
8	9	3	5	1	7	2	6	4
6	7	5	3	2	4	1	9	8
2	5	1	4	9	8	7	3	6
3	4	6	2	7	1	5	8	9
7	8	9	6	3	5	4	1	2
4	3	8	1	6	2	9	7	5
9	6	2	7	5	3	8	4	1
5	1	7	8	4	9	6	2	3

SUDOKU #20

4	6	3	7	8	9	2	1	5
8	1	7	4	2	5	3	9	6
2	5	9	3	6	1	7	4	8
3	7	6	5	9	4	8	2	1
9	4	8	2	1	3	5	6	7
5	2	1	8	7	6	4	3	9
6	8	2	1	4	7	9	5	3
1	3	4	9	5	8	6	7	2
7	9	5	6	3	2	1	8	4

SUDOKU #21

2	5	6	3	4	8	9	7	1
9	1	4	7	2	5	3	8	6
7	8	3	1	6	9	2	4	5
1	6	8	2	9	4	5	3	7
4	3	2	6	5	7	8	1	9
5	7	9	8	1	3	4	6	2
6	4	7	9	3	2	1	5	8
8	2	5	4	7	1	6	9	3
3	9	1	5	8	6	7	2	4

SUDOKU #22

1	9	2	8	3	6	5	7	4
6	4	7	5	2	9	3	1	8
5	8	3	4	1	7	9	2	6
2	7	6	1	5	8	4	3	9
3	5	8	9	7	4	2	6	1
9	1	4	3	6	2	7	8	5
8	3	1	2	9	5	6	4	7
4	6	5	7	8	3	1	9	2
7	2	9	6	4	1	8	5	3

SUDOKU #23

2	3	7	9	5	8	1	4	6
6	1	5	4	3	7	9	2	8
8	9	4	2	6	1	7	3	5
4	8	9	5	1	3	2	6	7
1	6	2	8	7	4	3	5	9
5	7	3	6	2	9	8	1	4
7	2	8	1	4	5	6	9	3
9	4	1	3	8	6	5	7	2
3	5	6	7	9	2	4	8	1

SUDOKU #24

2	8	5	6	3	4	7	1	9
1	3	9	2	7	8	4	5	6
7	6	4	5	1	9	2	3	8
4	2	6	7	9	1	3	8	5
8	9	7	3	5	2	6	4	1
5	1	3	8	4	6	9	2	7
6	5	1	4	2	7	8	9	3
3	7	2	9	8	5	1	6	4
9	4	8	1	6	3	5	7	2

SUDOKU #25

1	2	4	9	5	8	3	6	7
6	5	7	4	1	3	9	2	8
9	8	3	7	2	6	4	1	5
2	7	6	3	8	9	5	4	1
8	3	5	1	6	4	2	7	9
4	9	1	5	7	2	8	3	6
5	4	9	6	3	7	1	8	2
7	1	8	2	4	5	6	9	3
3	6	2	8	9	1	7	5	4

SUDOKU #26

2	1	7	3	6	5	4	8	9
4	8	3	2	9	7	5	6	1
9	6	5	1	8	4	7	3	2
8	2	9	5	7	3	6	1	4
3	4	1	6	2	9	8	5	7
7	5	6	4	1	8	9	2	3
6	9	8	7	3	2	1	4	5
1	3	4	9	5	6	2	7	8
5	7	2	8	4	1	3	9	6

SUDOKU #27

4	3	9	6	5	8	2	7	1
5	7	2	1	3	4	8	6	9
6	8	1	7	2	9	4	3	5
2	1	7	5	4	6	3	9	8
8	5	3	2	9	7	1	4	6
9	6	4	8	1	3	7	5	2
3	4	8	9	6	1	5	2	7
7	2	6	3	8	5	9	1	4
1	9	5	4	7	2	6	8	3

SUDOKU #28

1	3	7	9	4	8	2	6	5
8	9	6	7	5	2	4	1	3
2	5	4	3	6	1	7	9	8
3	4	1	8	2	9	5	7	6
7	6	5	4	1	3	9	8	2
9	2	8	5	7	6	1	3	4
4	1	9	6	8	5	3	2	7
5	8	2	1	3	7	6	4	9
6	7	3	2	9	4	8	5	1

SUDOKU #29

1	7	3	9	2	6	5	8	4
9	5	6	8	4	3	7	2	1
8	4	2	7	1	5	6	3	9
2	8	9	6	5	1	3	4	7
4	3	5	2	8	7	9	1	6
6	1	7	4	3	9	2	5	8
3	6	8	1	9	2	4	7	5
7	2	4	5	6	8	1	9	3
5	9	1	3	7	4	8	6	2

SUDOKU #30

7	1	5	9	4	8	2	3	6
4	9	2	5	3	6	1	7	8
3	8	6	2	7	1	5	4	9
8	3	1	7	6	9	4	5	2
5	6	4	3	1	2	8	9	7
9	2	7	8	5	4	6	1	3
6	5	9	1	2	3	7	8	4
1	4	3	6	8	7	9	2	5
2	7	8	4	9	5	3	6	1

SUDOKU #31

5	7	6	3	1	4	2	8	9
1	8	4	9	2	5	3	6	7
3	9	2	7	6	8	5	1	4
7	5	3	1	9	2	6	4	8
4	2	9	8	7	6	1	3	5
6	1	8	4	5	3	9	7	2
2	3	7	6	4	9	8	5	1
8	4	5	2	3	1	7	9	6
9	6	1	5	8	7	4	2	3

SUDOKU #32

8	4	9	6	7	5	1	2	3
1	3	6	2	8	9	7	4	5
7	5	2	3	4	1	9	6	8
2	6	1	8	9	7	5	3	4
9	8	5	4	3	2	6	1	7
4	7	3	1	5	6	8	9	2
6	1	8	5	2	4	3	7	9
3	2	7	9	6	8	4	5	1
5	9	4	7	1	3	2	8	6

SUDOKU #33

8	7	2	9	6	1	3	4	5
3	4	6	5	7	2	8	9	1
9	5	1	8	4	3	6	2	7
2	8	9	7	5	4	1	3	6
5	6	3	1	2	8	4	7	9
4	1	7	3	9	6	5	8	2
7	3	8	6	1	9	2	5	4
6	2	5	4	3	7	9	1	8
1	9	4	2	8	5	7	6	3

SUDOKU #34

9	5	8	7	2	6	3	4	1
1	3	7	5	9	4	2	6	8
6	2	4	8	1	3	7	5	9
2	8	6	3	4	1	5	9	7
4	7	9	2	5	8	6	1	3
5	1	3	6	7	9	4	8	2
7	9	1	4	6	2	8	3	5
3	6	2	1	8	5	9	7	4
8	4	5	9	3	7	1	2	6

SUDOKU #35

7	6	8	5	9	3	1	2	4
9	4	3	2	6	1	5	8	7
2	5	1	8	4	7	3	9	6
8	1	2	9	5	4	7	6	3
5	9	6	3	7	2	4	1	8
4	3	7	1	8	6	9	5	2
1	7	5	4	2	8	6	3	9
6	2	9	7	3	5	8	4	1
3	8	4	6	1	9	2	7	5

SUDOKU #36

3	4	6	1	7	5	9	2	8
9	8	5	4	2	6	1	7	3
7	1	2	9	3	8	5	4	6
6	9	3	2	8	1	7	5	4
4	5	1	7	6	3	8	9	2
8	2	7	5	9	4	6	3	1
2	3	9	8	1	7	4	6	5
5	7	8	6	4	2	3	1	9
1	6	4	3	5	9	2	8	7

SUDOKU #37

6	4	5	2	8	7	9	1	3
2	3	9	4	1	6	8	7	5
8	7	1	3	9	5	4	2	6
1	2	7	9	5	3	6	8	4
4	6	3	8	2	1	5	9	7
9	5	8	7	6	4	2	3	1
7	9	4	5	3	2	1	6	8
5	1	2	6	7	8	3	4	9
3	8	6	1	4	9	7	5	2

SUDOKU #38

5	1	2	4	9	7	3	6	8
4	7	3	5	8	6	9	1	2
9	6	8	1	3	2	5	7	4
3	8	6	7	1	9	2	4	5
2	5	1	3	6	4	7	8	9
7	4	9	8	2	5	6	3	1
6	3	5	9	4	8	1	2	7
8	2	7	6	5	1	4	9	3
1	9	4	2	7	3	8	5	6

SUDOKU #39

6	3	2	1	5	8	4	9	7
8	1	9	7	4	2	3	5	6
4	5	7	9	3	6	8	1	2
5	2	6	8	7	9	1	4	3
7	8	1	4	6	3	5	2	9
3	9	4	5	2	1	6	7	8
9	4	5	3	8	7	2	6	1
2	7	8	6	1	4	9	3	5
1	6	3	2	9	5	7	8	4

SUDOKU #40

2	6	4	9	8	7	3	5	1
8	3	1	4	2	5	9	7	6
9	7	5	3	1	6	4	2	8
1	2	9	7	6	4	8	3	5
6	4	7	5	3	8	1	9	2
5	8	3	2	9	1	7	6	4
3	9	8	1	5	2	6	4	7
7	1	2	6	4	9	5	8	3
4	5	6	8	7	3	2	1	9

SUDOKU #41

3	2	8	4	9	6	5	7	1
6	4	5	1	2	7	3	9	8
1	7	9	5	8	3	4	2	6
5	8	2	6	4	1	7	3	9
9	6	7	2	3	5	1	8	4
4	3	1	8	7	9	6	5	2
7	9	6	3	1	8	2	4	5
8	1	4	7	5	2	9	6	3
2	5	3	9	6	4	8	1	7

SUDOKU #42

9	7	8	3	4	5	2	6	1
5	6	2	9	1	7	3	8	4
4	1	3	6	8	2	9	7	5
2	3	6	7	9	1	5	4	8
7	9	1	8	5	4	6	3	2
8	4	5	2	3	6	1	9	7
1	2	7	4	6	3	8	5	9
3	5	9	1	7	8	4	2	6
6	8	4	5	2	9	7	1	3

SUDOKU #43

1	9	4	5	7	3	6	8	2
7	5	6	8	1	2	9	4	3
3	8	2	9	4	6	5	1	7
2	4	1	7	5	9	3	6	8
9	6	3	2	8	1	4	7	5
5	7	8	3	6	4	1	2	9
6	3	5	4	2	8	7	9	1
4	2	9	1	3	7	8	5	6
8	1	7	6	9	5	2	3	4

SUDOKU #44

3	9	2	4	7	8	5	6	1
4	8	5	3	1	6	7	2	9
7	6	1	2	5	9	8	4	3
9	3	7	5	8	2	6	1	4
5	4	6	7	9	1	2	3	8
2	1	8	6	3	4	9	7	5
6	5	9	1	4	7	3	8	2
8	2	4	9	6	3	1	5	7
1	7	3	8	2	5	4	9	6

SUDOKU #45

7	4	6	9	3	5	2	8	1
9	1	8	7	4	2	3	5	6
2	5	3	8	1	6	7	4	9
6	3	7	2	8	4	1	9	5
1	2	4	5	7	9	8	6	3
5	8	9	3	6	1	4	2	7
3	9	5	1	2	8	6	7	4
8	6	1	4	5	7	9	3	2
4	7	2	6	9	3	5	1	8

SUDOKU #46

1	7	2	8	9	3	5	4	6
4	5	3	6	1	2	9	8	7
8	6	9	5	7	4	3	1	2
3	2	7	9	4	5	8	6	1
9	8	1	7	2	6	4	5	3
6	4	5	1	3	8	2	7	9
5	9	4	2	6	7	1	3	8
2	3	6	4	8	1	7	9	5
7	1	8	3	5	9	6	2	4

SUDOKU #47

1	4	8	2	3	5	9	7	6
3	5	2	9	7	6	8	1	4
6	7	9	4	1	8	3	5	2
5	6	4	8	9	2	7	3	1
2	9	3	7	5	1	6	4	8
7	8	1	6	4	3	5	2	9
9	1	7	5	8	4	2	6	3
4	2	5	3	6	9	1	8	7
8	3	6	1	2	7	4	9	5

SUDOKU #48

6	2	9	8	5	1	7	4	3
4	3	8	6	7	2	5	1	9
5	1	7	9	3	4	2	6	8
7	4	1	5	8	3	9	2	6
3	6	5	2	9	7	4	8	1
8	9	2	1	4	6	3	7	5
2	8	4	3	1	5	6	9	7
1	5	6	7	2	9	8	3	4
9	7	3	4	6	8	1	5	2

SUDOKU #49

2	3	4	7	6	5	9	8	1
5	1	9	4	2	8	3	7	6
8	6	7	1	9	3	4	2	5
7	8	6	2	3	9	1	5	4
3	5	2	6	1	4	7	9	8
9	4	1	5	8	7	2	6	3
4	2	8	9	5	1	6	3	7
6	7	3	8	4	2	5	1	9
1	9	5	3	7	6	8	4	2

SUDOKU #50

6	8	3	7	4	5	1	2	9
2	9	5	3	1	8	6	4	7
1	7	4	2	9	6	3	5	8
5	4	9	6	3	7	8	1	2
3	1	6	9	8	2	4	7	5
8	2	7	4	5	1	9	3	6
7	5	1	8	6	4	2	9	3
9	6	2	1	7	3	5	8	4
4	3	8	5	2	9	7	6	1

SUDOKU #51

6	7	9	1	4	5	3	2	8
5	3	1	2	6	8	7	4	9
8	4	2	7	3	9	1	6	5
7	2	4	6	5	1	9	8	3
1	5	3	9	8	2	6	7	4
9	8	6	3	7	4	5	1	2
2	6	7	4	9	3	8	5	1
3	1	8	5	2	7	4	9	6
4	9	5	8	1	6	2	3	7

SUDOKU #52

9	2	1	8	3	7	5	4	6
8	4	3	6	1	5	2	7	9
6	5	7	4	9	2	8	3	1
7	9	8	3	5	4	6	1	2
2	3	4	9	6	1	7	5	8
1	6	5	2	7	8	4	9	3
5	7	2	1	8	9	3	6	4
4	1	6	7	2	3	9	8	5
3	8	9	5	4	6	1	2	7

SUDOKU #53

9	5	1	6	4	2	8	7	3
3	6	7	1	9	8	4	5	2
4	2	8	7	5	3	9	1	6
1	9	3	5	2	6	7	4	8
2	8	4	3	1	7	5	6	9
5	7	6	4	8	9	2	3	1
7	1	9	8	3	4	6	2	5
6	3	2	9	7	5	1	8	4
8	4	5	2	6	1	3	9	7

SUDOKU #54

8	5	6	7	2	1	9	3	4
9	3	1	5	8	4	7	6	2
7	4	2	9	6	3	8	5	1
3	6	4	8	1	9	2	7	5
5	1	7	3	4	2	6	9	8
2	9	8	6	5	7	4	1	3
6	2	5	1	9	8	3	4	7
1	8	3	4	7	6	5	2	9
4	7	9	2	3	5	1	8	6

SUDOKU #55

8	7	1	9	6	3	5	4	2
6	2	5	4	7	8	9	3	1
3	9	4	2	1	5	7	6	8
1	6	3	8	4	7	2	5	9
5	4	2	6	9	1	8	7	3
7	8	9	3	5	2	4	1	6
9	5	8	7	3	6	1	2	4
4	1	6	5	2	9	3	8	7
2	3	7	1	8	4	6	9	5

SUDOKU #56

8	5	4	1	9	2	3	7	6
6	2	7	3	5	4	9	8	1
1	9	3	6	8	7	2	5	4
3	1	2	5	4	9	7	6	8
9	4	5	7	6	8	1	2	3
7	8	6	2	1	3	4	9	5
2	6	1	4	7	5	8	3	9
5	7	8	9	3	1	6	4	2
4	3	9	8	2	6	5	1	7

SUDOKU #57

3	5	9	1	2	7	8	4	6
1	4	6	8	3	9	5	2	7
2	7	8	6	4	5	3	1	9
8	3	2	5	1	6	9	7	4
4	1	7	3	9	8	6	5	2
9	6	5	2	7	4	1	8	3
5	8	3	7	6	2	4	9	1
6	2	4	9	5	1	7	3	8
7	9	1	4	8	3	2	6	5

SUDOKU #58

4	6	3	1	8	5	2	7	9
8	2	7	3	9	6	1	4	5
1	9	5	2	4	7	6	8	3
3	1	9	5	7	2	8	6	4
5	7	6	4	1	8	3	9	2
2	8	4	6	3	9	7	5	1
6	3	1	8	5	4	9	2	7
9	4	8	7	2	1	5	3	6
7	5	2	9	6	3	4	1	8

SUDOKU #59

1	5	2	4	3	9	6	8	7
4	6	9	7	8	2	3	1	5
8	7	3	6	5	1	4	9	2
9	1	6	2	7	3	5	4	8
5	3	4	1	6	8	7	2	9
7	2	8	5	9	4	1	3	6
6	4	1	9	2	7	8	5	3
3	9	7	8	4	5	2	6	1
2	8	5	3	1	6	9	7	4

SUDOKU #60

5	9	3	7	8	2	4	6	1
1	7	8	9	6	4	3	5	2
2	4	6	3	1	5	7	8	9
4	2	1	6	9	3	5	7	8
8	3	9	4	5	7	1	2	6
6	5	7	8	2	1	9	4	3
7	8	5	2	3	9	6	1	4
3	1	2	5	4	6	8	9	7
9	6	4	1	7	8	2	3	5

SUDOKU #61

1	7	4	8	2	5	9	6	3
3	6	2	1	9	4	8	5	7
8	5	9	3	7	6	1	4	2
6	9	3	2	5	7	4	8	1
4	1	7	6	8	3	2	9	5
5	2	8	9	4	1	7	3	6
2	3	6	4	1	8	5	7	9
7	4	1	5	3	9	6	2	8
9	8	5	7	6	2	3	1	4

SUDOKU #62

4	6	7	2	1	9	3	5	8
5	9	2	3	8	7	6	1	4
8	3	1	5	4	6	9	2	7
9	1	3	4	2	5	8	7	6
6	2	4	7	9	8	1	3	5
7	8	5	1	6	3	2	4	9
3	4	8	6	5	1	7	9	2
2	7	6	9	3	4	5	8	1
1	5	9	8	7	2	4	6	3

SUDOKU #63

3	8	9	6	7	4	5	2	1
1	2	7	9	5	8	3	4	6
6	4	5	2	1	3	7	9	8
5	1	4	8	6	7	2	3	9
8	9	6	3	4	2	1	5	7
7	3	2	5	9	1	8	6	4
4	5	1	7	2	6	9	8	3
9	6	3	1	8	5	4	7	2
2	7	8	4	3	9	6	1	5

SUDOKU #64

9	4	3	6	5	2	8	7	1
2	7	5	4	1	8	6	3	9
1	8	6	3	9	7	5	2	4
5	3	7	9	6	1	2	4	8
8	6	9	2	4	5	7	1	3
4	1	2	8	7	3	9	5	6
6	2	1	7	8	4	3	9	5
7	9	4	5	3	6	1	8	2
3	5	8	1	2	9	4	6	7

SUDOKU #65

6	5	4	3	1	2	9	8	7
9	8	2	5	7	4	1	6	3
7	1	3	8	9	6	2	5	4
1	4	7	6	3	8	5	9	2
2	6	9	1	4	5	7	3	8
5	3	8	7	2	9	4	1	6
3	7	5	4	8	1	6	2	9
4	2	6	9	5	3	8	7	1
8	9	1	2	6	7	3	4	5

SUDOKU #66

6	4	8	5	9	1	7	3	2
1	3	9	7	2	8	6	4	5
2	7	5	6	3	4	1	9	8
4	9	1	3	5	6	8	2	7
8	5	7	4	1	2	3	6	9
3	2	6	9	8	7	4	5	1
7	8	3	2	4	9	5	1	6
5	6	2	1	7	3	9	8	4
9	1	4	8	6	5	2	7	3

SUDOKU #67

9	8	7	5	6	3	2	4	1
6	2	5	9	1	4	3	8	7
4	3	1	8	2	7	5	6	9
1	7	4	6	5	9	8	2	3
3	5	9	7	8	2	4	1	6
8	6	2	4	3	1	7	9	5
5	1	3	2	4	6	9	7	8
2	9	8	1	7	5	6	3	4
7	4	6	3	9	8	1	5	2

SUDOKU #68

2	4	1	6	9	5	8	7	3
6	7	3	8	4	2	5	1	9
9	8	5	1	3	7	2	6	4
3	2	8	4	5	1	7	9	6
5	6	7	9	8	3	1	4	2
1	9	4	2	7	6	3	5	8
7	3	9	5	2	4	6	8	1
8	5	6	3	1	9	4	2	7
4	1	2	7	6	8	9	3	5

SUDOKU #69

7	5	4	3	2	1	8	6	9
9	3	6	5	8	7	2	1	4
2	1	8	4	6	9	3	5	7
4	2	1	7	5	3	9	8	6
6	9	3	8	1	4	7	2	5
8	7	5	6	9	2	1	4	3
1	4	2	9	7	5	6	3	8
3	6	7	2	4	8	5	9	1
5	8	9	1	3	6	4	7	2

SUDOKU #70

7	5	6	9	3	4	8	1	2
4	3	8	5	1	2	7	6	9
1	2	9	6	8	7	5	4	3
5	1	4	2	7	8	9	3	6
6	8	3	4	5	9	2	7	1
9	7	2	1	6	3	4	8	5
8	6	1	7	2	5	3	9	4
2	9	7	3	4	6	1	5	8
3	4	5	8	9	1	6	2	7

SUDOKU #71

7	6	1	8	9	3	5	2	4
8	2	5	7	4	6	9	3	1
9	4	3	1	5	2	7	6	8
5	1	2	6	8	4	3	7	9
6	8	9	3	7	5	1	4	2
4	3	7	9	2	1	8	5	6
1	7	4	5	6	9	2	8	3
3	5	6	2	1	8	4	9	7
2	9	8	4	3	7	6	1	5

SUDOKU #72

6	1	4	9	2	7	3	8	5
9	3	8	5	1	6	7	4	2
2	7	5	8	3	4	9	1	6
1	4	2	7	5	9	8	6	3
7	5	6	2	8	3	1	9	4
3	8	9	4	6	1	5	2	7
8	6	7	3	9	2	4	5	1
5	2	3	1	4	8	6	7	9
4	9	1	6	7	5	2	3	8

SUDOKU #73

9	7	5	1	3	2	4	8	6
4	1	8	9	5	6	7	2	3
3	2	6	7	4	8	9	5	1
1	3	9	5	6	7	8	4	2
5	6	4	8	2	9	1	3	7
2	8	7	3	1	4	6	9	5
7	4	3	6	8	5	2	1	9
6	5	2	4	9	1	3	7	8
8	9	1	2	7	3	5	6	4

SUDOKU #74

8	4	1	3	2	7	5	6	9
6	3	9	4	8	5	2	1	7
2	7	5	6	9	1	8	4	3
5	8	3	9	1	4	6	7	2
7	1	2	5	3	6	9	8	4
9	6	4	2	7	8	1	3	5
1	5	6	7	4	2	3	9	8
4	9	8	1	5	3	7	2	6
3	2	7	8	6	9	4	5	1

SUDOKU #75

1	7	5	8	3	9	6	2	4
2	8	6	4	7	5	9	1	3
3	4	9	6	2	1	7	5	8
4	9	8	2	5	7	1	3	6
6	2	1	3	9	4	5	8	7
5	3	7	1	6	8	2	4	9
8	5	4	7	1	6	3	9	2
9	6	2	5	8	3	4	7	1
7	1	3	9	4	2	8	6	5

SUDOKU #76

1	6	3	4	8	9	5	7	2
8	4	5	6	7	2	1	9	3
9	2	7	5	1	3	6	8	4
3	8	9	2	6	1	7	4	5
5	7	6	3	9	4	8	2	1
2	1	4	8	5	7	3	6	9
4	5	8	1	2	6	9	3	7
7	3	1	9	4	8	2	5	6
6	9	2	7	3	5	4	1	8

SUDOKU #77

9	8	6	4	3	7	2	5	1
5	3	4	1	8	2	9	6	7
1	2	7	5	9	6	8	4	3
2	5	8	3	1	9	6	7	4
4	7	3	6	2	5	1	9	8
6	1	9	8	7	4	3	2	5
7	6	1	2	5	3	4	8	9
8	4	5	9	6	1	7	3	2
3	9	2	7	4	8	5	1	6

SUDOKU #78

8	1	9	5	6	7	2	3	4
3	4	6	8	2	9	1	5	7
7	2	5	1	4	3	6	8	9
9	7	2	3	5	8	4	1	6
1	3	4	2	9	6	5	7	8
5	6	8	4	7	1	3	9	2
6	9	1	7	3	2	8	4	5
2	5	3	9	8	4	7	6	1
4	8	7	6	1	5	9	2	3

SUDOKU #79

6	3	7	8	1	2	9	5	4
2	8	9	5	4	7	1	6	3
1	4	5	6	3	9	2	8	7
3	7	6	1	9	4	5	2	8
4	9	1	2	5	8	7	3	6
5	2	8	7	6	3	4	9	1
9	1	4	3	2	6	8	7	5
8	5	3	9	7	1	6	4	2
7	6	2	4	8	5	3	1	9

SUDOKU #80

1	9	6	5	7	3	4	8	2
3	7	5	4	8	2	9	1	6
8	2	4	6	1	9	7	5	3
7	8	2	9	3	5	1	6	4
6	3	9	8	4	1	2	7	5
5	4	1	2	6	7	8	3	9
4	1	3	7	2	6	5	9	8
9	6	8	1	5	4	3	2	7
2	5	7	3	9	8	6	4	1

SUDOKU #81

6	1	8	3	4	5	9	2	7
5	3	7	2	9	8	1	6	4
4	2	9	1	6	7	8	5	3
7	8	1	4	2	6	3	9	5
3	9	6	5	7	1	2	4	8
2	4	5	9	8	3	7	1	6
1	7	4	6	3	9	5	8	2
9	6	3	8	5	2	4	7	1
8	5	2	7	1	4	6	3	9

SUDOKU #82

9	7	2	5	6	4	1	3	8
3	6	8	1	2	9	4	5	7
5	1	4	8	7	3	9	2	6
6	2	9	4	8	7	3	1	5
1	4	5	6	3	2	7	8	9
7	8	3	9	5	1	6	4	2
4	3	6	2	9	8	5	7	1
8	5	7	3	1	6	2	9	4
2	9	1	7	4	5	8	6	3

SUDOKU #83

9	7	4	5	8	3	1	2	6
3	1	8	2	6	7	5	9	4
6	2	5	9	4	1	7	3	8
1	4	9	6	7	2	8	5	3
8	6	7	3	9	5	2	4	1
2	5	3	4	1	8	6	7	9
5	3	6	8	2	9	4	1	7
7	8	2	1	3	4	9	6	5
4	9	1	7	5	6	3	8	2

SUDOKU #84

3	2	4	7	5	1	8	6	9
6	1	8	4	3	9	7	5	2
5	9	7	2	8	6	3	4	1
8	5	2	6	9	4	1	3	7
9	6	3	1	7	8	5	2	4
7	4	1	5	2	3	9	8	6
2	8	6	3	1	7	4	9	5
4	7	9	8	6	5	2	1	3
1	3	5	9	4	2	6	7	8

SUDOKU #85

5	7	3	4	9	6	8	2	1
8	6	9	7	2	1	5	3	4
2	1	4	8	5	3	6	7	9
1	8	2	6	3	7	4	9	5
7	4	5	9	1	8	2	6	3
9	3	6	5	4	2	7	1	8
4	5	1	2	7	9	3	8	6
3	2	8	1	6	5	9	4	7
6	9	7	3	8	4	1	5	2

SUDOKU #86

5	8	2	4	9	3	6	7	1
1	4	7	5	2	6	8	9	3
3	9	6	8	1	7	2	5	4
8	2	9	1	6	5	3	4	7
6	1	5	3	7	4	9	2	8
7	3	4	2	8	9	1	6	5
9	6	3	7	5	8	4	1	2
4	7	1	9	3	2	5	8	6
2	5	8	6	4	1	7	3	9

SUDOKU #87

9	8	7	1	5	6	2	3	4
2	3	1	8	4	7	5	9	6
6	5	4	2	9	3	8	7	1
5	7	2	6	1	9	4	8	3
4	9	3	5	7	8	6	1	2
1	6	8	4	3	2	9	5	7
7	2	6	3	8	5	1	4	9
8	1	9	7	6	4	3	2	5
3	4	5	9	2	1	7	6	8

SUDOKU #88

6	7	3	1	4	5	8	9	2
5	8	2	9	6	7	4	1	3
9	1	4	3	8	2	6	7	5
3	2	1	5	9	8	7	6	4
7	4	9	6	2	3	1	5	8
8	6	5	4	7	1	2	3	9
4	3	7	2	5	6	9	8	1
1	9	6	8	3	4	5	2	7
2	5	8	7	1	9	3	4	6

SUDOKU #113

1	4	8	5	7	9	3	2	6
6	3	7	8	4	2	1	5	9
2	9	5	1	6	3	8	4	7
9	5	3	6	8	4	7	1	2
7	8	2	9	5	1	6	3	4
4	1	6	3	2	7	5	9	8
3	6	1	4	9	8	2	7	5
5	7	9	2	1	6	4	8	3
8	2	4	7	3	5	9	6	1

SUDOKU #114

9	2	6	3	8	5	4	7	1
1	3	8	4	6	7	2	9	5
4	5	7	9	1	2	8	6	3
6	9	2	5	4	3	1	8	7
7	8	4	6	2	1	5	3	9
5	1	3	8	7	9	6	2	4
2	7	5	1	3	8	9	4	6
8	4	1	7	9	6	3	5	2
3	6	9	2	5	4	7	1	8

SUDOKU #115

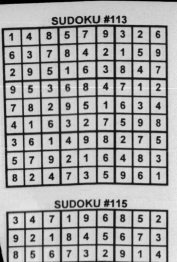

3	4	7	1	9	6	8	5	2
9	2	1	8	4	5	6	7	3
8	5	6	7	3	2	9	1	4
4	1	9	2	5	8	3	6	7
7	6	5	9	1	3	4	2	8
2	8	3	4	6	7	1	9	5
6	3	4	5	7	1	2	8	9
[illegible]	9	8	6	2	4	7	3	1
[illegible]	7	2	3	8	9	5	4	6

SUDOKU #116

9	8	1	4	2	3	6	5	7
5	6	2	7	1	8	9	3	4
3	4	7	5	9	6	1	8	2
4	7	8	1	3	9	2	6	5
6	9	5	2	8	4	7	1	3
2	1	3	6	7	5	4	9	8
7	2	9	3	5	1	8	4	6
8	3	6	9	4	7	5	2	1
1	5	4	8	6	2	3	7	9

SUDOKU #117

[illegible]	6	3	4	5	8	7	2	1
[illegible]	[illegible]	7	9	1	3	5	4	6
[illegible]	[illegible]	4	2	7	6	8	9	3
[illegible]	[illegible]	2	5	3	1	6	8	9
[illegible]	[illegible]	8	6	9	4	1	7	2
[illegible]	[illegible]	6	8	2	7	4	3	5
[illegible]	[illegible]	5	3	6	9	2	1	8
[illegible]	[illegible]	9	1	4	5	3	6	7
[illegible]	[illegible]	1	7	8	2	9	5	4

SUDOKU #118

8	5	6	2	9	3	4	1	7
1	3	2	7	4	6	9	8	5
7	9	4	5	8	1	6	2	3
5	8	7	1	2	9	3	6	4
6	1	3	4	7	5	2	9	8
4	2	9	6	3	8	7	5	1
2	7	1	8	6	4	5	3	9
9	4	8	3	5	2	1	7	6
3	6	5	9	1	7	8	4	2

SUDOKU #119

[illegible]	[illegible]	[illegible]	2	5	9	6	1	4
[illegible]	[illegible]	[illegible]	8	4	1	9	7	3
[illegible]	[illegible]	[illegible]	7	3	6	8	5	2
[illegible]	[illegible]	[illegible]	1	9	2	5	8	7
[illegible]	[illegible]	[illegible]	5	6	3	4	9	1
[illegible]	[illegible]	[illegible]	4	7	8	3	2	6
[illegible]	[illegible]	[illegible]	[illegible]	8	5	7	3	9
[illegible]	[illegible]	[illegible]	[illegible]	2	4	1	6	5
[illegible]	[illegible]	[illegible]	[illegible]	1	7	2	4	8

SUDOKU #120

9	4	8	7	6	3	1	5	2
7	3	1	2	5	9	6	4	8
2	5	6	4	8	1	9	3	7
6	1	5	8	7	4	2	9	3
8	2	4	9	3	6	5	7	1
3	9	7	1	2	5	8	6	4
1	6	3	5	4	8	7	2	9
5	8	2	3	9	7	4	1	6
4	7	9	6	1	2	3	8	5

SUDOKU #89

8	6	7	5	9	4	2	1	3
1	4	3	6	8	2	7	5	9
5	2	9	1	7	3	8	6	4
4	5	6	9	3	8	1	2	7
2	9	8	7	1	5	4	3	6
3	7	1	4	2	6	9	8	5
7	3	4	2	5	1	6	9	8
6	8	2	3	4	9	5	7	1
9	1	5	8	6	7	3	4	2

SUDOKU #90

2	1	8	9	4	6	3	7	5
9	4	3	7	1	5	6	8	2
7	5	6	2	8	3	1	4	9
4	2	1	8	5	7	9	6	3
3	8	9	6	2	1	7	5	4
6	7	5	3	9	4	8	2	1
1	3	4	5	6	8	2	9	7
5	6	2	1	7	9	4	3	8
8	9	7	4	3	2	5	1	6

SUDOKU #91

9	8	2	7	6	3	5	1	4
3	4	1	9	2	5	8	7	6
5	7	6	4	1	8	2	3	9
2	5	8	6	7	9	3	4	1
6	9	4	8	3	1	7	5	2
7	1	3	5	4	2	9	6	8
4	2	5	3	9	6	1	8	7
1	3	7	2	8	4	6	9	5
8	6	9	1	5	7	4	2	3

SUDOKU #92

3	5	8	1	4	7	9	2	6
4	2	6	3	9	8	5	1	7
7	1	9	2	5	6	8	3	4
1	4	5	7	3	2	6	9	8
8	3	7	5	6	9	1	4	2
9	6	2	8	1	4	7	5	3
6	7	1	4	2	5	3	8	9
2	9	3	6	8	1	4	7	5
5	8	4	9	7	3	2	6	1

SUDOKU #93

9	2	6	7	3	4	8	5	1
3	7	5	2	1	8	4	6	9
1	4	8	9	6	5	3	7	2
7	8	3	6	4	2	9	1	5
4	5	1	8	7	9	2	3	6
6	9	2	3	5	1	7	8	4
5	3	4	1	9	7	6	2	8
2	6	9	5	8	3	1	4	7
8	1	7	4	2	6	5	9	3

SUDOKU #94

7	3	5	4	8	9	6	1	2
1	4	9	6	2	5	3	7	8
6	2	8	1	7	3	9	5	4
3	7	1	5	4	2	8	9	6
5	6	4	8	9	1	7	2	3
9	8	2	3	6	7	5	4	1
4	9	7	2	3	8	1	6	5
2	1	3	7	5	6	4	8	9
8	5	6	9	1	4	2	3	7

SUDOKU #95

7	1	2	9	8	6	4	5	3
9	8	3	5	4	1	6	7	2
6	5	4	3	2	7	1	9	8
4	9	8	6	1	3	5	2	7
3	2	1	7	5	8	9	6	4
5	6	7	2	9	4	8	3	1
2	4	9	8	3	5	7	1	6
1	3	6	4	7	9	2	8	5
8	7	5	1	6	2	3	4	9

SUDOKU #96

1	4	9	6	3	7	8	2	5
5	7	3	2	8	9	1	4	6
2	8	6	1	4	5	3	7	9
9	6	4	7	5	1	2	8	3
7	5	2	3	6	8	4	9	1
8	3	1	4	9	2	5	6	7
3	9	8	5	2	6	7	1	4
4	2	7	9	1	3	6	5	8
6	1	5	8	7	4	9	3	2

SUDOKU #97

8	1	5	7	3	2	9	4	6
6	2	9	5	8	4	7	3	1
7	3	4	6	1	9	8	5	2
4	6	1	8	9	7	5	2	3
5	7	3	4	2	1	6	9	8
9	8	2	3	6	5	1	7	4
1	9	6	2	7	3	4	8	5
2	5	7	1	4	8	3	6	9
3	4	8	9	5	6	2	1	7

SUDOKU #98

9	8	1	2	7	5	6	3	4
7	3	2	8	6	4	5	9	1
4	6	5	1	3	9	2	7	8
6	4	8	7	5	3	1	2	9
2	9	7	4	1	6	3	8	5
5	1	3	9	2	8	7	4	6
8	5	6	3	9	2	4	1	7
3	7	4	5	8	1	9	6	2
1	2	9	6	4	7	8	5	3

SUDOKU #99

9	1	6	8	5	4	3	7	2
7	5	4	1	3	2	6	9	8
8	2	3	7	9	6	1	4	5
4	3	2	9	7	8	5	6	1
1	6	7	3	4	5	2	8	9
5	9	8	2	6	1	7	3	4
6	8	9	5	2	7	4	1	3
2	4	1	6	8	3	9	5	7
3	7	5	4	1	9	8	2	6

SUDOKU #100

8	5	4	9	2	3	1	6	7
2	1	6	8	7	5	4	9	3
9	3	7	1	4	6	2	8	5
6	9	1	2	3	7	5	4	8
3	8	2	5	9	4	6	7	1
7	4	5	6	1	8	9	3	2
4	6	8	7	5	1	3	2	9
1	2	3	4	8	9	7	5	6
5	7	9	3	6	2	8	1	4

SUDOKU #101

5	3	6	7	2	8	1	9	4
4	8	7	9	1	6	5	3	2
2	1	9	3	4	5	8	7	6
7	6	2	5	8	1	3	4	9
8	9	4	2	7	3	6	1	5
1	5	3	6	9	4	7	2	8
9	2	1	8	5	7	4	6	3
3	7	8	4	6	9	2	5	1
6	4	5	1	3	2	9	8	7

SUDOKU #102

1	9	7	8	4	3	5	2	6
5	8	6	1	2	9	3	4	7
2	4	3	7	5	6	8	1	9
8	5	9	4	6	1	7	3	2
3	1	4	2	9	7	6	8	5
7	6	2	5	3	8	1	9	4
9	7	1	6	8	4	2	5	3
6	3	5	9	1	2	4	7	8
4	2	8	3	7	5	9	6	1

SUDOKU #103

6	4	8	3	9	7	5	1	2
7	2	5	8	1	4	6	3	9
3	1	9	2	5	6	4	7	8
5	9	2	1	7	3	8	4	6
1	7	6	9	4	8	2	5	3
4	8	3	6	2	5	1	9	7
9	6	7	4	8	1	3	2	5
8	5	1	7	3	2	9	6	4
2	3	4	5	6	9	7	8	1

SUDOKU #104

6	2	7	8	4	1	9	3	5
8	5	3	6	9	2	4	7	1
1	9	4	7	5	3	8	2	6
7	8	5	3	1	6	2	4	9
2	4	1	9	8	7	5	6	3
3	6	9	5	2	4	1	8	7
4	7	2	1	6	5	3	9	8
9	1	6	2	3	8	7	5	4
5	3	8	4	7	9	6	1	2

SUDOKU #105

1	7	4	2	3	9	6	5	8
6	9	3	8	7	5	1	4	2
2	8	5	6	1	4	3	9	7
7	5	6	4	9	3	8	2	1
4	2	1	5	8	7	9	6	3
9	3	8	1	6	2	4	7	5
3	1	7	9	5	6	2	8	4
8	6	2	7	4	1	5	3	9
5	4	9	3	2	8	7	1	6

SUDOKU #106

1	8	7	2	3	9	4	6	5
4	3	9	8	5	6	7	1	2
6	5	2	1	4	7	8	3	9
5	2	8	6	9	1	3	4	7
3	1	6	4	7	5	2	9	8
9	7	4	3	8	2	1	5	6
7	6	1	5	2	4	9	8	3
8	9	5	7	1	3	6	2	[illegible]
2	4	3	9	6	8	5	7	[illegible]

SUDOKU #107

6	1	9	7	4	8	5	2	3
7	5	8	1	3	2	6	9	4
3	2	4	6	5	9	8	7	1
9	8	7	4	6	1	2	3	5
1	6	5	9	2	3	4	8	7
2	4	3	5	8	7	9	1	6
5	9	2	3	1	4	7	6	8
4	7	1	8	9	6	3	5	2
8	3	6	2	7	5	1	4	9

SUDOKU #108

8	6	4	3	5	1	9	[illegible]	[illegible]
3	2	1	4	9	7	[illegible]	[illegible]	[illegible]
5	7	9	2	6	8	[illegible]	[illegible]	[illegible]
1	5	3	6	7	[illegible]	[illegible]	[illegible]	[illegible]
9	4	2	1	8	[illegible]	[illegible]	[illegible]	[illegible]
6	8	7	9	2	[illegible]	[illegible]	[illegible]	[illegible]
2	9	8	5	[illegible]	[illegible]	[illegible]	[illegible]	[illegible]
4	1	6	7	[illegible]	[illegible]	[illegible]	[illegible]	[illegible]
7	3	5	8	[illegible]	[illegible]	[illegible]	[illegible]	[illegible]

SUDOKU #109

3	5	7	4	2	6	9	1	8
8	9	6	7	1	3	2	5	4
4	1	2	8	5	9	6	3	7
5	6	8	9	4	7	3	2	1
1	4	3	6	8	2	7	9	5
7	2	9	1	3	5	8	4	6
6	7	4	2	9	1	5	8	3
9	3	1	5	7	8	4	6	2
2	8	5	3	6	4	1	7	9

SU[illegible]

8	9	7	[illegible]	[illegible]	[illegible]	[illegible]	[illegible]	[illegible]
5	2	6	[illegible]	[illegible]	[illegible]	[illegible]	[illegible]	[illegible]
1	4	[illegible]	[illegible]	[illegible]	[illegible]	[illegible]	[illegible]	[illegible]
7	5	[illegible]	[illegible]	[illegible]	[illegible]	[illegible]	[illegible]	[illegible]
3	1	[illegible]	[illegible]	[illegible]	[illegible]	[illegible]	[illegible]	[illegible]
9	[illegible]	[illegible]	[illegible]	[illegible]	[illegible]	[illegible]	[illegible]	[illegible]
4	[illegible]	[illegible]	[illegible]	[illegible]	[illegible]	[illegible]	[illegible]	[illegible]
6	[illegible]	[illegible]	[illegible]	[illegible]	[illegible]	[illegible]	[illegible]	[illegible]
[illegible]	[illegible]	[illegible]	[illegible]	[illegible]	[illegible]	[illegible]	[illegible]	[illegible]

SUDOKU #111

4	5	8	2	1	3	7	6	9
2	3	6	4	9	7	8	5	1
7	1	9	8	5	6	2	4	3
9	6	5	1	7	8	3	2	4
1	7	4	5	3	2	6	9	8
8	2	3	9	6	4	1	7	5
5	8	2	7	4	1	9	3	6
3	9	7	6	8	5	4	1	2
6	4	1	3	2	9	5	8	7

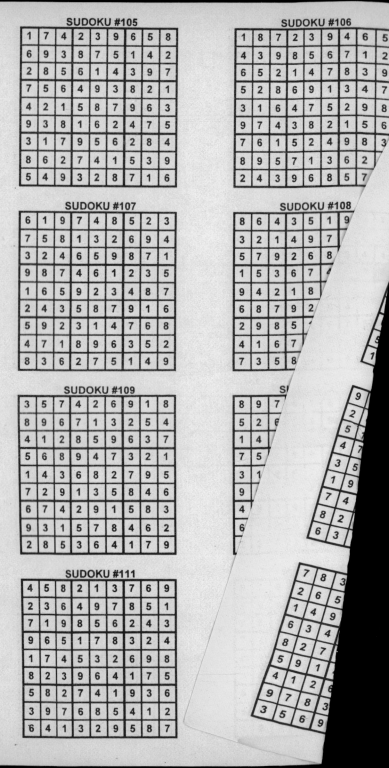

SUDOKU #121

2	6	1	4	9	3	8	7	5
7	8	5	1	6	2	3	9	4
4	3	9	5	8	7	1	2	6
1	9	2	3	5	8	6	4	7
5	7	3	2	4	6	9	1	8
6	4	8	9	7	1	2	5	3
3	2	6	7	1	5	4	8	9
9	1	7	8	3	4	5	6	2
8	5	4	6	2	9	7	3	1

SUDOKU #122

8	4	2	7	1	3	6	9	5
6	3	7	4	5	9	8	2	1
1	9	5	2	8	6	7	4	3
4	7	1	9	6	8	5	3	2
5	8	6	1	3	2	9	7	4
9	2	3	5	4	7	1	8	6
7	6	9	3	2	1	4	5	8
3	1	4	8	9	5	2	6	7
2	5	8	6	7	4	3	1	9

SUDOKU #123

6	8	5	4	3	7	2	9	1
7	9	1	6	5	2	8	4	3
2	3	4	9	1	8	5	7	6
3	5	9	1	7	4	6	8	2
4	1	2	5	8	6	9	3	7
8	7	6	2	9	3	1	5	4
9	2	3	7	6	5	4	1	8
5	6	7	8	4	1	3	2	9
1	4	8	3	2	9	7	6	5

SUDOKU #124

5	2	7	3	6	4	8	1	9
6	1	4	7	9	8	5	2	3
8	3	9	5	2	1	6	4	7
3	9	2	8	4	5	7	6	1
7	4	5	2	1	6	3	9	8
1	8	6	9	3	7	2	5	4
4	7	1	6	5	3	9	8	2
9	6	8	1	7	2	4	3	5
2	5	3	4	8	9	1	7	6

SUDOKU #125

9	6	3	8	7	2	5	4	1
5	1	8	4	9	6	3	7	2
7	4	2	5	3	1	6	9	8
4	2	9	7	5	3	8	1	6
3	7	1	2	6	8	4	5	9
6	8	5	1	4	9	7	2	3
8	3	4	9	2	7	1	6	5
1	9	7	6	8	5	2	3	4
2	5	6	3	1	4	9	8	7

SUDOKU #126

5	1	6	3	7	2	9	4	8
7	3	9	1	4	8	2	6	5
4	2	8	6	9	5	1	7	3
2	9	7	5	1	3	4	8	6
8	6	3	9	2	4	7	5	1
1	4	5	7	8	6	3	2	9
9	8	1	2	5	7	6	3	4
3	7	4	8	6	9	5	1	2
6	5	2	4	3	1	8	9	7

SUDOKU #127

5	9	6	2	7	4	8	1	3
8	3	2	6	9	1	4	7	5
4	7	1	3	5	8	9	6	2
3	6	9	1	4	2	7	5	8
1	8	4	7	3	5	2	9	6
7	2	5	9	8	6	1	3	4
2	1	3	8	6	9	5	4	7
6	4	8	5	1	7	3	2	9
9	5	7	4	2	3	6	8	1

SUDOKU #128

7	9	5	1	6	4	3	2	8
3	8	1	9	2	7	5	4	6
2	4	6	3	5	8	9	7	1
9	2	3	8	1	6	7	5	4
1	6	7	5	4	3	2	8	9
4	5	8	7	9	2	6	1	3
6	1	2	4	3	5	8	9	7
5	7	9	6	8	1	4	3	2
8	3	4	2	7	9	1	6	5

SUDOKU #129

6	7	4	2	8	9	1	3	5
9	8	5	3	1	6	7	4	2
1	3	2	4	5	7	6	8	9
4	5	3	9	2	1	8	7	6
8	1	7	5	6	3	9	2	4
2	9	6	7	4	8	3	5	1
5	6	8	1	3	4	2	9	7
7	2	1	8	9	5	4	6	3
3	4	9	6	7	2	5	1	8

SUDOKU #130

8	4	3	5	7	1	6	2	9
5	9	2	4	3	6	1	8	7
1	6	7	8	9	2	4	3	5
3	8	6	1	2	5	9	7	4
9	2	1	7	4	3	8	5	6
7	5	4	6	8	9	2	1	3
4	3	5	2	6	8	7	9	1
6	1	8	9	5	7	3	4	2
2	7	9	3	1	4	5	6	8

SUDOKU #131

7	2	3	5	4	6	9	1	8
9	1	6	8	3	2	7	4	5
4	5	8	1	7	9	2	6	3
8	7	5	4	6	3	1	2	9
1	9	4	2	8	7	5	3	6
3	6	2	9	1	5	4	8	7
2	4	7	3	5	8	6	9	1
6	8	1	7	9	4	3	5	2
5	3	9	6	2	1	8	7	4

SUDOKU #132

9	7	8	5	4	6	2	3	1
4	1	5	2	9	3	6	7	8
2	6	3	8	1	7	5	9	4
8	3	4	6	2	9	1	5	7
1	5	2	3	7	4	9	8	6
7	9	6	1	5	8	3	4	2
3	8	1	4	6	5	7	2	9
5	2	7	9	8	1	4	6	3
6	4	9	7	3	2	8	1	5

SUDOKU #133

5	4	2	7	1	9	3	8	6
6	8	9	5	2	3	1	7	4
7	3	1	8	4	6	9	2	5
9	2	4	6	3	7	5	1	8
8	6	5	4	9	1	2	3	7
1	7	3	2	8	5	6	4	9
3	1	7	9	5	8	4	6	2
4	5	8	3	6	2	7	9	1
2	9	6	1	7	4	8	5	3

SUDOKU #134

8	6	1	3	4	7	9	2	5
4	9	2	1	5	8	7	3	6
3	5	7	6	9	2	8	4	1
5	7	8	9	1	3	4	6	2
2	3	9	8	6	4	5	1	7
1	4	6	7	2	5	3	9	8
9	8	3	2	7	1	6	5	4
6	2	4	5	8	9	1	7	3
7	1	5	4	3	6	2	8	9

SUDOKU #135

6	4	2	1	5	3	9	7	8
5	7	3	4	9	8	2	1	6
9	1	8	6	2	7	5	4	3
7	5	4	3	6	2	1	8	9
3	9	1	8	7	5	6	2	4
2	8	6	9	1	4	7	3	5
1	3	5	2	8	6	4	9	7
4	2	7	5	3	9	8	6	1
8	6	9	7	4	1	3	5	2

SUDOKU #136

7	5	3	6	2	9	8	4	1
2	1	4	5	3	8	7	9	6
8	6	9	4	1	7	3	5	2
5	8	1	9	7	2	6	3	4
4	9	7	3	6	5	2	1	8
3	2	6	1	8	4	9	7	5
6	4	5	8	9	3	1	2	7
9	7	8	2	4	1	5	6	3
1	3	2	7	5	6	4	8	9

SUDOKU #137

7	6	5	1	9	4	8	2	3
1	8	2	3	6	7	9	4	5
3	4	9	2	5	8	6	7	1
2	7	3	8	1	9	5	6	4
6	9	8	7	4	5	1	3	2
4	5	1	6	3	2	7	9	8
5	3	7	4	8	6	2	1	9
9	1	6	5	2	3	4	8	7
8	2	4	9	7	1	3	5	6

SUDOKU #138

9	4	6	8	5	7	1	2	3
7	3	8	1	2	9	4	5	6
2	5	1	3	6	4	9	8	7
1	8	9	5	3	6	7	4	2
3	6	4	7	8	2	5	1	9
5	2	7	4	9	1	6	3	8
8	1	3	6	7	5	2	9	4
4	7	2	9	1	3	8	6	5
6	9	5	2	4	8	3	7	1

SUDOKU #139

2	1	7	4	8	9	5	6	3
6	4	9	5	1	3	2	7	8
8	3	5	6	7	2	4	9	1
5	8	6	3	4	7	1	2	9
3	2	4	9	6	1	8	5	7
9	7	1	8	2	5	3	4	6
7	9	8	1	5	4	6	3	2
1	5	3	2	9	6	7	8	4
4	6	2	7	3	8	9	1	5

SUDOKU #140

5	9	2	7	3	6	4	8	1
1	6	8	9	4	5	2	7	3
7	4	3	1	8	2	6	5	9
6	2	1	8	9	3	7	4	5
3	5	9	4	2	7	8	1	6
4	8	7	5	6	1	9	3	2
8	1	5	6	7	9	3	2	4
2	7	6	3	5	4	1	9	8
9	3	4	2	1	8	5	6	7

SUDOKU #141

8	5	1	7	4	9	2	3	6
7	6	4	3	2	1	5	8	9
2	3	9	6	5	8	7	1	4
6	8	5	9	1	7	3	4	2
1	7	3	2	8	4	6	9	5
9	4	2	5	6	3	1	7	8
4	1	6	8	7	5	9	2	3
5	9	7	4	3	2	8	6	1
3	2	8	1	9	6	4	5	7

SUDOKU #142

6	7	5	9	2	4	1	3	8
1	9	3	6	8	5	2	7	4
8	4	2	7	1	3	5	6	9
2	5	4	3	6	1	8	9	7
7	1	9	5	4	8	6	2	3
3	8	6	2	9	7	4	5	1
4	3	7	1	5	6	9	8	2
5	2	1	8	3	9	7	4	6
9	6	8	4	7	2	3	1	5

SUDOKU #143

4	8	3	2	5	1	9	6	7
7	1	9	3	8	6	2	4	5
6	2	5	7	9	4	3	8	1
3	7	2	8	1	5	4	9	6
9	6	1	4	2	7	8	5	3
8	5	4	9	6	3	7	1	2
2	3	6	1	4	9	5	7	8
1	9	7	5	3	8	6	2	4
5	4	8	6	7	2	1	3	9

SUDOKU #144

8	4	5	1	9	3	2	7	6
2	1	3	4	7	6	5	9	8
9	6	7	8	2	5	3	4	1
1	3	9	2	5	4	6	8	7
5	2	8	7	6	1	4	3	9
6	7	4	9	3	8	1	2	5
7	9	6	5	4	2	8	1	3
4	5	1	3	8	7	9	6	2
3	8	2	6	1	9	7	5	4

SUDOKU #145

7	1	2	4	3	5	9	8	6
5	8	3	7	6	9	1	2	4
6	9	4	1	8	2	5	7	3
3	4	1	6	2	7	8	5	9
8	7	9	5	4	1	6	3	2
2	6	5	3	9	8	7	4	1
4	5	6	9	7	3	2	1	8
9	2	7	8	1	4	3	6	5
1	3	8	2	5	6	4	9	7

SUDOKU #146

8	2	1	5	4	3	7	9	6
7	5	6	9	8	1	4	2	3
9	3	4	7	2	6	8	5	1
4	6	3	8	5	7	9	1	2
5	7	8	2	1	9	6	3	4
2	1	9	6	3	4	5	7	8
3	9	7	1	6	8	2	4	5
1	8	5	4	9	2	3	6	7
6	4	2	3	7	5	1	8	9

SUDOKU #147

7	2	4	6	8	5	9	1	3
1	6	9	3	2	4	7	5	8
3	8	5	9	7	1	2	6	4
9	3	6	2	1	8	5	4	7
5	7	1	4	3	6	8	9	2
8	4	2	5	9	7	6	3	1
4	9	7	1	5	2	3	8	6
6	5	8	7	4	3	1	2	9
2	1	3	8	6	9	4	7	5

SUDOKU #148

8	2	1	7	6	3	5	4	9
7	6	9	4	1	5	8	2	3
3	4	5	9	2	8	6	7	1
4	1	3	8	9	7	2	6	5
5	7	6	2	3	4	1	9	8
2	9	8	1	5	6	4	3	7
6	3	2	5	8	9	7	1	4
9	8	7	6	4	1	3	5	2
1	5	4	3	7	2	9	8	6

SUDOKU #149

2	9	7	1	8	6	3	4	5
8	3	1	9	5	4	6	7	2
5	4	6	3	2	7	8	1	9
1	2	5	6	9	3	4	8	7
3	7	9	8	4	1	2	5	6
4	6	8	5	7	2	9	3	1
7	8	2	4	6	5	1	9	3
9	5	3	2	1	8	7	6	4
6	1	4	7	3	9	5	2	8

SUDOKU #150

4	2	3	8	5	9	1	7	6
6	5	7	3	1	4	2	9	8
9	8	1	6	7	2	3	5	4
3	9	5	1	8	6	7	4	2
8	4	2	9	3	7	5	6	1
7	1	6	2	4	5	8	3	9
1	6	8	7	9	3	4	2	5
2	3	4	5	6	8	9	1	7
5	7	9	4	2	1	6	8	3

SUDOKU #151

3	1	2	6	8	4	7	5	9
5	7	9	1	3	2	4	8	6
8	6	4	9	7	5	3	1	2
7	2	3	5	1	8	9	6	4
4	8	6	7	9	3	1	2	5
9	5	1	4	2	6	8	3	7
6	4	8	3	5	7	2	9	1
2	9	7	8	6	1	5	4	3
1	3	5	2	4	9	6	7	8

SUDOKU #152

5	8	3	6	4	9	1	2	7
4	1	7	5	2	8	9	3	6
6	9	2	7	3	1	4	8	5
2	6	5	4	1	3	7	9	8
8	7	1	9	6	2	5	4	3
9	3	4	8	5	7	2	6	1
3	5	8	1	9	4	6	7	2
1	2	9	3	7	6	8	5	4
7	4	6	2	8	5	3	1	9

SUDOKU #153

5	8	2	7	6	4	1	3	9
6	7	3	1	9	5	8	2	4
4	9	1	8	2	3	7	5	6
1	4	7	6	5	2	9	8	3
8	3	9	4	1	7	5	6	2
2	6	5	3	8	9	4	1	7
3	1	8	9	7	6	2	4	5
7	2	6	5	4	1	3	9	8
9	5	4	2	3	8	6	7	1

SUDOKU #154

5	4	8	7	3	1	6	2	9
1	3	6	2	8	9	4	7	5
2	7	9	4	6	5	3	1	8
3	6	5	9	7	4	2	8	1
7	8	1	5	2	6	9	3	4
9	2	4	3	1	8	7	5	6
4	1	7	8	9	2	5	6	3
6	5	2	1	4	3	8	9	7
8	9	3	6	5	7	1	4	2

SUDOKU #155

2	8	5	7	3	6	1	9	4
1	9	7	8	2	4	3	5	6
3	4	6	9	1	5	7	2	8
8	1	2	6	9	7	5	4	3
6	5	4	3	8	1	2	7	9
7	3	9	5	4	2	6	8	1
4	7	8	1	5	3	9	6	2
5	2	3	4	6	9	8	1	7
9	6	1	2	7	8	4	3	5

SUDOKU #156

7	9	6	4	3	8	5	1	2
4	8	2	1	6	5	3	9	7
3	1	5	7	9	2	4	8	6
2	4	8	5	7	1	9	6	3
5	6	1	3	4	9	7	2	8
9	7	3	2	8	6	1	4	5
1	5	4	8	2	3	6	7	9
8	3	9	6	1	7	2	5	4
6	2	7	9	5	4	8	3	1

SUDOKU #157

3	1	9	4	2	8	5	6	7
7	5	2	9	1	6	8	3	4
8	6	4	5	3	7	2	9	1
2	3	6	7	9	1	4	8	5
1	4	8	6	5	2	9	7	3
5	9	7	3	8	4	6	1	2
6	2	3	8	7	5	1	4	9
4	7	1	2	6	9	3	5	8
9	8	5	1	4	3	7	2	6

SUDOKU #158

1	9	7	8	5	2	4	6	3
6	5	8	4	9	3	7	2	1
2	4	3	7	1	6	5	9	8
5	3	1	6	4	9	2	8	7
8	7	9	3	2	5	1	4	6
4	2	6	1	8	7	9	3	5
3	8	4	9	7	1	6	5	2
9	1	5	2	6	8	3	7	4
7	6	2	5	3	4	8	1	9

SUDOKU #159

9	5	3	8	1	4	6	7	2
7	8	6	2	3	5	9	1	4
1	4	2	6	7	9	8	3	5
5	1	9	4	6	7	2	8	3
2	3	4	5	9	8	1	6	7
8	6	7	3	2	1	4	5	9
6	2	8	9	5	3	7	4	1
3	9	1	7	4	6	5	2	8
4	7	5	1	8	2	3	9	6

SUDOKU #160

4	5	1	3	2	9	7	6	8
8	2	6	7	4	1	3	5	9
7	3	9	6	5	8	4	2	1
5	7	8	2	9	6	1	3	4
2	6	4	1	3	7	9	8	5
1	9	3	5	8	4	2	7	6
6	8	7	4	1	3	5	9	2
3	4	2	9	6	5	8	1	7
9	1	5	8	7	2	6	4	3

SUDOKU #161

2	6	9	7	5	4	3	1	8
3	4	7	8	1	9	6	5	2
8	5	1	3	2	6	4	7	9
5	3	4	9	6	1	2	8	7
9	8	6	2	7	3	1	4	5
7	1	2	5	4	8	9	6	3
1	9	3	6	8	5	7	2	4
4	2	8	1	3	7	5	9	6
6	7	5	4	9	2	8	3	1

SUDOKU #162

1	2	6	3	9	8	7	5	4
9	8	7	4	2	5	6	3	1
4	5	3	7	6	1	9	8	2
8	3	1	2	7	9	5	4	6
6	7	4	5	8	3	2	1	9
2	9	5	6	1	4	3	7	8
7	1	2	8	3	6	4	9	5
5	6	8	9	4	7	1	2	3
3	4	9	1	5	2	8	6	7

SUDOKU #163

1	4	3	7	2	6	5	9	8
8	5	2	3	9	4	6	7	1
9	6	7	8	1	5	4	3	2
3	2	4	6	8	7	9	1	5
5	9	1	4	3	2	8	6	7
6	7	8	9	5	1	2	4	3
2	3	6	1	4	8	7	5	9
4	1	5	2	7	9	3	8	6
7	8	9	5	6	3	1	2	4

SUDOKU #164

9	3	5	8	1	6	4	2	7
1	4	7	9	2	5	3	6	8
8	6	2	3	7	4	5	9	1
7	8	6	1	5	2	9	3	4
2	1	4	7	9	3	8	5	6
5	9	3	6	4	8	1	7	2
6	2	1	4	3	9	7	8	5
3	7	8	5	6	1	2	4	9
4	5	9	2	8	7	6	1	3

SUDOKU #165

6	2	1	8	9	3	4	5	7
9	4	3	6	7	5	1	2	8
8	7	5	2	1	4	3	9	6
3	9	6	4	5	2	8	7	1
2	5	8	1	3	7	6	4	9
7	1	4	9	8	6	5	3	2
5	6	9	7	4	1	2	8	3
1	3	7	5	2	8	9	6	4
4	8	2	3	6	9	7	1	5

SUDOKU #166

7	3	2	5	8	6	4	9	1
1	8	6	9	7	4	5	3	2
9	5	4	3	1	2	8	6	7
5	2	7	6	9	1	3	4	8
6	1	3	4	5	8	7	2	9
8	4	9	2	3	7	1	5	6
3	9	1	7	2	5	6	8	4
4	7	5	8	6	9	2	1	3
2	6	8	1	4	3	9	7	5

SUDOKU #167

3	2	1	7	8	9	4	5	6
6	9	8	3	4	5	7	1	2
4	7	5	1	6	2	3	8	9
2	5	7	4	9	3	1	6	8
8	6	3	2	1	7	9	4	5
1	4	9	8	5	6	2	3	7
9	3	6	5	2	1	8	7	4
7	8	2	6	3	4	5	9	1
5	1	4	9	7	8	6	2	3

SUDOKU #168

5	3	6	1	8	9	4	2	7
1	8	2	4	7	6	5	3	9
4	7	9	5	3	2	6	8	1
6	5	8	9	1	3	7	4	2
2	1	7	6	5	4	3	9	8
9	4	3	7	2	8	1	6	5
7	6	4	2	9	5	8	1	3
8	2	5	3	6	1	9	7	4
3	9	1	8	4	7	2	5	6

SUDOKU #169

4	9	7	5	8	2	3	6	1
2	8	6	1	9	3	7	5	4
5	3	1	7	6	4	8	2	9
7	5	8	4	3	6	1	9	2
1	6	3	9	2	5	4	8	7
9	4	2	8	7	1	5	3	6
3	1	9	2	4	8	6	7	5
6	7	5	3	1	9	2	4	8
8	2	4	6	5	7	9	1	3

SUDOKU #170

5	7	2	9	1	3	6	4	8
1	4	6	2	5	8	9	7	3
8	3	9	6	4	7	1	5	2
3	6	8	5	7	4	2	1	9
7	2	1	3	8	9	4	6	5
4	9	5	1	2	6	3	8	7
2	1	4	8	9	5	7	3	6
6	5	7	4	3	2	8	9	1
9	8	3	7	6	1	5	2	4

SUDOKU #171

2	3	4	6	9	7	1	8	5
7	1	8	4	5	2	9	3	6
5	9	6	3	8	1	2	7	4
9	8	5	7	2	4	3	6	1
6	2	1	8	3	5	7	4	9
4	7	3	1	6	9	5	2	8
1	6	7	9	4	3	8	5	2
3	4	2	5	1	8	6	9	7
8	5	9	2	7	6	4	1	3

SUDOKU #172

2	5	8	9	3	4	1	7	6
7	1	4	2	6	8	9	3	5
3	6	9	1	5	7	8	2	4
9	8	1	4	7	2	6	5	3
6	2	7	5	8	3	4	9	1
4	3	5	6	9	1	7	8	2
8	4	6	3	2	9	5	1	7
1	9	3	7	4	5	2	6	8
5	7	2	8	1	6	3	4	9

SUDOKU #173

4	5	8	3	9	6	7	2	1
1	2	3	5	7	4	8	6	9
7	9	6	1	2	8	4	3	5
2	7	5	8	6	9	3	1	4
3	6	9	2	4	1	5	8	7
8	1	4	7	3	5	6	9	2
5	3	7	6	1	2	9	4	8
6	4	2	9	8	7	1	5	3
9	8	1	4	5	3	2	7	6

SUDOKU #174

8	7	6	4	9	5	2	1	3
5	4	2	7	3	1	6	9	8
9	1	3	2	6	8	5	4	7
3	9	7	8	5	6	4	2	1
6	8	1	9	4	2	3	7	5
4	2	5	3	1	7	8	6	9
1	6	4	5	8	9	7	3	2
2	5	9	6	7	3	1	8	4
7	3	8	1	2	4	9	5	6

SUDOKU #175

4	2	9	8	6	3	1	7	5
1	7	6	9	4	5	8	3	2
3	5	8	2	7	1	4	6	9
7	4	3	6	2	9	5	1	8
6	1	2	5	8	7	9	4	3
8	9	5	1	3	4	7	2	6
2	6	4	7	9	8	3	5	1
9	3	1	4	5	2	6	8	7
5	8	7	3	1	6	2	9	4

SUDOKU #176

1	5	9	4	2	7	8	6	3
2	3	8	9	1	6	7	4	5
4	7	6	5	3	8	2	9	1
7	8	2	1	4	3	6	5	9
3	6	1	7	5	9	4	8	2
5	9	4	6	8	2	3	1	7
8	4	5	3	7	1	9	2	6
9	1	3	2	6	4	5	7	8
6	2	7	8	9	5	1	3	4

SUDOKU #177

8	1	9	4	7	6	5	2	3
3	5	4	8	9	2	6	7	1
7	6	2	5	3	1	4	9	8
2	8	5	9	4	3	7	1	6
6	9	7	2	1	5	3	8	4
4	3	1	7	6	8	9	5	2
1	7	8	3	5	4	2	6	9
5	4	6	1	2	9	8	3	7
9	2	3	6	8	7	1	4	5

SUDOKU #178

6	3	1	4	2	9	8	7	5
9	2	5	1	8	7	4	3	6
8	4	7	5	3	6	1	9	2
2	1	6	7	5	3	9	8	4
7	9	8	2	1	4	6	5	3
3	5	4	9	6	8	7	2	1
4	6	2	8	9	5	3	1	7
1	7	9	3	4	2	5	6	8
5	8	3	6	7	1	2	4	9

SUDOKU #179

3	2	8	6	7	1	9	4	5
6	7	4	3	9	5	1	8	2
9	5	1	4	8	2	7	6	3
5	6	7	8	3	9	2	1	4
4	9	3	2	1	7	6	5	8
1	8	2	5	6	4	3	9	7
2	3	6	1	5	8	4	7	9
7	1	5	9	4	3	8	2	6
8	4	9	7	2	6	5	3	1

SUDOKU #180

2	8	9	6	1	4	3	7	5
3	5	1	7	8	2	6	4	9
7	6	4	3	5	9	2	1	8
5	9	2	1	7	8	4	6	3
8	4	3	5	2	6	7	9	1
1	7	6	9	4	3	5	8	2
6	1	8	4	3	5	9	2	7
9	2	5	8	6	7	1	3	4
4	3	7	2	9	1	8	5	6

SUDOKU #181

7	6	4	5	2	1	3	9	8
5	2	8	3	9	6	7	1	4
9	3	1	7	8	4	6	5	2
8	1	5	9	4	7	2	3	6
2	9	7	6	5	3	4	8	1
3	4	6	8	1	2	5	7	9
6	8	9	2	7	5	1	4	3
1	5	3	4	6	9	8	2	7
4	7	2	1	3	8	9	6	5

SUDOKU #182

1	3	8	5	4	6	2	9	7
9	5	4	2	3	7	1	6	8
7	6	2	1	9	8	3	5	4
2	8	7	3	1	9	6	4	5
5	4	1	6	8	2	7	3	9
3	9	6	7	5	4	8	2	1
6	1	9	8	2	5	4	7	3
4	7	3	9	6	1	5	8	2
8	2	5	4	7	3	9	1	6

SUDOKU #183

2	5	8	3	9	1	6	7	4
7	9	6	2	5	4	3	1	8
4	3	1	7	6	8	5	2	9
9	6	7	8	3	2	1	4	5
8	2	4	6	1	5	9	3	7
5	1	3	9	4	7	2	8	6
6	7	9	4	2	3	8	5	1
3	4	5	1	8	6	7	9	2
1	8	2	5	7	9	4	6	3

SUDOKU #184

1	8	7	5	3	6	9	2	4
9	4	3	1	7	2	6	8	5
2	5	6	9	8	4	1	3	7
7	2	9	3	1	8	4	5	6
5	1	4	2	6	7	3	9	8
3	6	8	4	5	9	7	1	2
6	7	5	8	9	3	2	4	1
4	9	1	7	2	5	8	6	3
8	3	2	6	4	1	5	7	9

SUDOKU #185

8	6	1	5	4	3	7	2	9
7	4	9	2	8	1	3	5	6
2	3	5	6	7	9	1	4	8
3	5	4	9	2	8	6	7	1
6	9	7	1	5	4	2	8	3
1	8	2	7	3	6	4	9	5
9	2	6	4	1	5	8	3	7
4	1	3	8	9	7	5	6	2
5	7	8	3	6	2	9	1	4

SUDOKU #186

2	4	9	1	5	8	6	7	3
7	1	5	6	4	3	8	9	2
6	3	8	9	7	2	5	4	1
5	6	2	7	1	9	3	8	4
8	9	3	4	2	6	7	1	5
1	7	4	3	8	5	2	6	9
9	2	7	8	3	1	4	5	6
3	8	1	5	6	4	9	2	7
4	5	6	2	9	7	1	3	8

SUDOKU #187

5	3	9	6	1	8	4	7	2
2	8	1	7	4	5	6	9	3
7	6	4	9	2	3	8	5	1
9	1	2	3	5	4	7	8	6
4	5	6	8	7	2	1	3	9
8	7	3	1	6	9	5	2	4
1	2	8	5	9	6	3	4	7
6	9	5	4	3	7	2	1	8
3	4	7	2	8	1	9	6	5

SUDOKU #188

4	1	3	7	9	6	8	2	5
5	9	2	1	3	8	7	6	4
8	7	6	4	2	5	3	1	9
1	8	5	6	7	4	9	3	2
3	2	4	8	5	9	1	7	6
9	6	7	3	1	2	4	5	8
6	3	9	5	8	1	2	4	7
2	4	1	9	6	7	5	8	3
7	5	8	2	4	3	6	9	1

SUDOKU #189

7	4	8	1	9	5	2	3	6
6	2	9	7	3	8	5	1	4
1	5	3	6	2	4	7	8	9
5	1	7	4	6	3	8	9	2
9	8	4	2	1	7	3	6	5
3	6	2	5	8	9	4	7	1
2	9	5	3	7	6	1	4	8
4	7	6	8	5	1	9	2	3
8	3	1	9	4	2	6	5	7

SUDOKU #190

5	3	4	9	8	6	7	2	1
1	6	8	7	2	3	9	5	4
2	7	9	4	5	1	6	3	8
6	5	2	1	4	9	3	8	7
7	4	3	8	6	5	2	1	9
8	9	1	2	3	7	4	6	5
9	8	5	3	7	2	1	4	6
4	2	7	6	1	8	5	9	3
3	1	6	5	9	4	8	7	2

SUDOKU #191

2	3	9	8	4	5	6	7	1
6	1	8	9	7	3	5	2	4
4	7	5	6	2	1	8	9	3
3	8	6	7	1	4	9	5	2
5	9	1	3	8	2	4	6	7
7	4	2	5	9	6	1	3	8
1	2	3	4	6	9	7	8	5
8	6	4	2	5	7	3	1	9
9	5	7	1	3	8	2	4	6

SUDOKU #192

7	2	9	4	1	8	6	5	3
8	4	6	5	7	3	9	1	2
3	1	5	9	6	2	8	7	4
2	3	4	1	9	7	5	6	8
6	7	8	3	2	5	1	4	9
9	5	1	6	8	4	2	3	7
4	6	7	8	5	9	3	2	1
1	8	2	7	3	6	4	9	5
5	9	3	2	4	1	7	8	6

SUDOKU #193

1	3	4	2	8	9	7	6	5
8	5	9	7	4	6	3	2	1
6	7	2	3	1	5	4	9	8
9	1	6	4	5	3	2	8	7
3	4	7	6	2	8	1	5	9
5	2	8	1	9	7	6	3	4
7	6	5	8	3	4	9	1	2
2	8	3	9	7	1	5	4	6
4	9	1	5	6	2	8	7	3

SUDOKU #194

5	6	1	4	3	7	8	2	9
9	3	7	6	2	8	5	4	1
4	2	8	1	9	5	6	7	3
3	1	4	8	7	9	2	5	6
2	7	9	5	6	4	1	3	8
6	8	5	3	1	2	4	9	7
8	4	3	7	5	6	9	1	2
1	5	2	9	8	3	7	6	4
7	9	6	2	4	1	3	8	5

SUDOKU #195

9	5	1	7	4	6	3	8	2
3	2	6	9	8	5	1	7	4
7	8	4	1	2	3	9	5	6
2	4	9	8	5	1	6	3	7
1	3	7	2	6	9	8	4	5
5	6	8	4	3	7	2	9	1
8	7	2	6	9	4	5	1	3
6	1	3	5	7	8	4	2	9
4	9	5	3	1	2	7	6	8

SUDOKU #196

7	9	6	2	8	1	3	4	5
4	5	2	3	7	9	6	1	8
3	1	8	6	4	5	7	9	2
2	7	1	5	9	4	8	6	3
8	6	9	7	3	2	4	5	1
5	3	4	8	1	6	9	2	7
1	2	3	9	6	8	5	7	4
6	4	7	1	5	3	2	8	9
9	8	5	4	2	7	1	3	6

SUDOKU #197

8	3	1	9	4	2	7	6	5
9	7	4	5	6	3	1	8	2
5	6	2	1	8	7	3	4	9
2	4	7	8	1	9	6	5	3
1	9	6	3	2	5	4	7	8
3	5	8	4	7	6	2	9	1
6	2	9	7	5	1	8	3	4
4	1	5	6	3	8	9	2	7
7	8	3	2	9	4	5	1	6

SUDOKU #198

5	3	7	4	8	9	1	2	6
6	1	9	2	5	7	4	3	8
2	4	8	3	1	6	9	7	5
9	6	2	7	4	5	8	1	3
4	8	3	6	9	1	2	5	7
1	7	5	8	2	3	6	9	4
7	9	6	1	3	8	5	4	2
8	2	1	5	7	4	3	6	9
3	5	4	9	6	2	7	8	1

SUDOKU #199

2	8	3	4	9	7	6	5	1
9	6	4	5	3	1	2	7	8
5	7	1	6	2	8	3	9	4
8	5	2	1	7	4	9	6	3
3	4	6	9	8	2	5	1	7
1	9	7	3	6	5	8	4	2
7	1	9	2	5	3	4	8	6
4	3	5	8	1	6	7	2	9
6	2	8	7	4	9	1	3	5

SUDOKU #200

3	7	6	4	5	1	8	9	2
9	5	4	8	2	6	1	7	3
8	1	2	7	3	9	4	6	5
1	3	5	6	4	7	2	8	9
2	8	7	1	9	3	5	4	6
6	4	9	5	8	2	3	1	7
4	2	8	9	7	5	6	3	1
7	6	3	2	1	4	9	5	8
5	9	1	3	6	8	7	2	4